SIMONE MARTINI

OMMARIO

Piero Torriti

In copertina:
Miracolo del bambino caduto dal balcone, tavola del
Beato Agostino Novello (1328),
particolare;
Siena,
Sant'Agostino.

Nella pagina a fianco:
Esequie di san Martino (1314-1318),
particolare;
Assisi,
basilica inferiore
di San Francesco,
cappella
di San Martino.

Qui accanto:
Miracolo del bambino azzannato dal lupo,
tavola del
Beato Agostino Novello (1328).

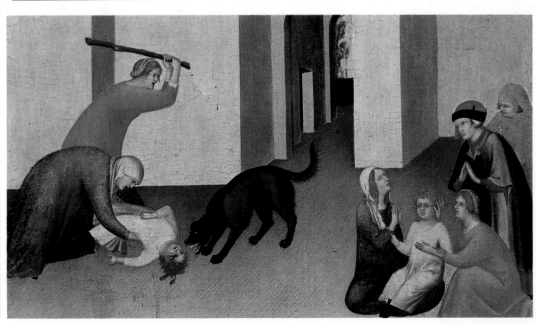

Simone Martini e "chompagni"

L A MOSTRA su *Simone Martini e "chompagni"*, tenutasi presso la Pinacoteca nazionale di Siena nell'estate del 1985, dischiuse nuove prospettive e interrogativi su quel campo della pittura senese di primo Trecento che sembrava già ben sceverato. Nuovi capolavori di quell'artista ne sortirono fuori, ma in particolar modo opere che appartengono a tutta una schiera di pittori più o meno noti ma tutti facenti capo al grande maestro senese e certamente attivi nella sua organizzatissima bottega. Questa, proprio per tale motivo, divenne uno dei più industri e illustri focolai di nuove ricerche pittoriche in una equilibratissima cooperazione tanto da non permettere talvolta di discernere le mani dell'uno o dell'altro artista cooperatore e offrire così ai critici più puntigliosi lo spunto per vivaci e lunghe dispute sulla paternità di quelle opere d'arte.

La significativa scritta «factum in apotheca Segnae Bonaventurae» accerta indiscutibilmente l'importanza che ebbero le botteghe pittoriche in particolar modo nella Toscana del Trecento, botteghe che possedevano tutta una struttura gerarchica a capo della quale vi era il "maestro" con i suoi "chompagni" collaboratori; molto al di sotto stavano i "gignori", cioè i discepoli che venivano a lavorare ma anche a imparare; quindi i "lavoranti ad anno, a mese, a dì o a lavorio". Nella sua bottega "maestro" Simone di Martino aveva anche come compagni alcuni congiunti, quali il fratello Donato con accanto Lippo e Tederico Memmi, figli di Memmo di Filippuccio, che diverrà il pittore civico di San Gimignano. Nel 1324 Simone ne sposerà la figlia Giovanna, divenendo così cognato di Lippo. Per la stretta vicinanza con la famiglia dei Memmi si è ipotizzato (Carli, 1956) che lo stesso Simone possa essere nato a San Gimignano da un certo "maestro" Martino, documentato in quella cittadina nel 1274, come artigiano specializzato nel preparare l'arriccio sui muri da affrescare.

Nella bottega di Simone Martini fioriscono opere di grandissima qualità, spesso eseguite a più mani, opere che talvolta recano la firma del solo maestro, oppure quella di Lippo Mem-

"Chompagno"
di Simone Martini,
Crocifissione
(1333-1342);
San Gimignano,
Collegiata.

L'antica attribuzione
del Ghiberti,
poi ripresa dal Vasari,
è a un certo
Barna da Siena,
morto, secondo
il biografo aretino,
nel 1481 nello stesso
cantiere
sangimignanese.
Questa data
è impossibile
in riferimento
all'indubbio stile
di primo Trecento
degli affreschi.
Oggi l'attribuzione
è meglio corretta
con il nome
di un "chompagno"
di Simone Martini,
molto probabilmente
quel Tederico
(o Federico) Memmi,
fratello di Lippo
e figlio di Memmo
di Filippuccio.
Alcuni studiosi
pensano invece
per tutta
la decorazione
con storie
neotestamentarie
affrescate
nella Collegiata
di San Gimignano
allo stesso Lippo
Memmi,
anche se il dramma
violento
che qui si rivela
mai affiora
nelle opere più sicure
dello stesso Lippo.

mi, o di entrambi i pittori (ché di Donato Martini e di Tederico, o Federico Memmi, poco o nulla sappiamo tranne che erano compagni pittori di Simone). Ci troviamo dunque di fronte,
come ha scritto Luciano Bellosi (1985), ad alcune opere firmate da Simone insieme ad altre firmate da Lippo: «abbiamo
l'*Annunciazione* degli Uffizi firmata da ambedue, ma che sfida
ogni conoscitore a riconoscere i rispettivi interventi; sappiamo
di tavole che erano firmate da Lippo e dal fratello Federico
Memmi, sappiamo dell'esistenza di Donato fratello di Simone;
ci troviamo di fronte inoltre al problema di cosa sia accaduto
di questa bottega senese dopo l'andata senza ritorno di Simone Martini ad Avignone; abbiamo un folto gruppo di opere a
San Gimignano, piazza artistica dei Memmi, un gran numero
di dipinti, spesso di altissima qualità, partecipi dello straordinario clima figurativo creato da Simone Martini e perfino caratte-
rizzato dallo stesso tipo di umanità e dagli stessi moduli stilistici: probabilmente la cosa più saggia da fare oggi è quella di ri-
mescolare tutte queste carte – per così dire – senza troppo insi-
stere sulle distinzioni e ponendoci il problema, anche, di che
tipo di rapporti di collaborazione poteva esistere fra questi artisti attivi in una bottega cui arrivavano innumerevoli e prestigio-
se commissioni».

"Chompagno"
di Simone Martini,
*Madonna col Bambino
e donatore*
(1330 circa).
Asciano,
Museo d'arte sacra.

**Appartiene
certamente
alla stessa mano
degli affreschi
neotestamentari
della Collegiata
di San Gimignano,
ma è di qualche anno
anteriore.
Pertanto anche
per questo dipinto
l'attribuzione
allo sconosciuto
Barna da Siena,
probabilmente
mai esistito
o quantomeno
confuso
con Bartolo di Fredi
(autore
degli affreschi
con storie del Vecchio
Testamento
nella stessa Collegiata
sangimignanese),
andrebbe sostituita
con quella
a Federico Memmi
o quantomeno
al fratello Lippo.**

I rapporti
con Duccio

Qui sopra:
Madonna col Bambino
(1312-1313 circa);
Siena,
Pinacoteca nazionale.

**L'attribuzione
alla tarda attività
di Duccio
di Buoninsegna
è stata oggi meglio
corretta con quella
all'attività giovanile
di Simone Martini,
prossima alla *Maestà*
del Palazzo pubblico
di Siena.**

Nella pagina a fianco:
Maestà
(1313-1315 e 1321),
particolare;
Siena,
Palazzo pubblico, sala
del Mappamondo.

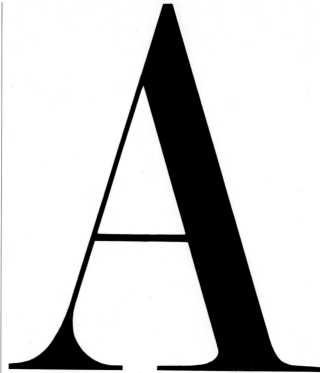

A NCHE
Simone parte da una grande bottega d'arte, quasi certamente quella di Duccio di Buoninsegna, tante sono le affinità fra l'uno e l'altro nella grandiosa *Maestà* affrescata da Simone nel 1315 nella sala maggiore, detta sala del Mappamondo, del Palazzo pubblico di Siena e prima opera documentata dell'artista ormai trentenne, secondo la fonte vasariana che lo fa nascere nel 1284. È logico quindi pensare che a monte della *Maestà* vi siano altre opere prossime allo stile di Simone, ma che tuttavia rammentino ancora lo stile, quello naturalmente più evoluto, di Duccio. Il caso principe è forse offerto dalla tavola con la *Madonna col Bambino* della Pinacoteca nazionale di Siena (non a caso proveniente da Colle di Val d'Elsa, vicino a San Gimignano) già attribuita, anche da chi scrive, a Duccio e ora meglio a Simone Martini: un'opera di nobilissimo impianto, soffusa di delicate trasparenze nella dolcezza del segno già tutto gotico e che sarà subito di Simone nelle tante figure della *Maestà* del 1315. Maggiore incertezza destano invece sia la tavola con la *Madonna in trono col Bambino* e scene della Passione sul retro, che sembra quasi una copia ridotta della *Maestà* duccesca del 1308-1311, nel duomo di Massa Marittima, sia la *Madonna della misericordia*, proveniente da Vertine in Chianti e conservata nella pinacoteca senese. In questa pur fulgida e ferma figura si vuole riconoscere quasi un incunabulo di Simone anche se aiutato, nelle figurette sotto il manto della Vergine, dal pennello di Memmo di Filippuccio.

Ma, tornando alla *Maestà* del 1315, affrescata da Simone Martini, dobbiamo subito por mente a un fatto straordinario per la storia dell'arte: in quell'anno Duccio era ancora in vita, l'anno prima aveva probabilmente dipinto nella stessa sala del Mappamondo l'unico suo affresco a noi pervenuto, quella *Resa di un castello* (forse il castello di Giuncarico in Maremma) recuperato per un colpo di fortuna sotto lo scialbo alcuni anni or sono, seppur graffiato dal ruotare del celebre mappamondo dipinto da Ambrogio Lorenzetti nel 1344-1345 e che dette il nome alla sala stessa. Ebbene, nel 1315 al vecchio maestro si pre-

ferì il giovane allievo, più moderno, più aderente al nuovo linguaggio ormai tutto gotico. La *Maestà* di Simone, infatti, accanto a chiare componenti duccesche, si presenta ricca di spunti pittorici giunti in Italia, e ad Assisi in particolare, dall'Inghilterra e dalla Francia. Si pensi, per esempio, al mirabile retablo di Westminster a Londra e alle miniature parigine di Maître Honoré, alle oreficerie in genere, ai vetri dipinti, agli smalti, e così via. Il grande affresco di Simone viene poi arricchito nella sua superficie pittorica con vetri colorati, con tutta una serie di decorazioni a punzone in oro zecchino impresse sull'intonaco ancora fresco di giornata, con parti metalliche colorate, rilievi a stucco e persino con carte incollate sull'arriccio per i cartigli inscritti. In un certo senso la *Maestà* di Simone può essere considerata come una grandiosa opera di oreficeria, quasi si volessero ingrandire nell'affresco i celebri smalti traslucidi della contemporanea scuola senese.

A soli quattro anni di distanza dall'altrettanto celeberrima *Maestà* di Duccio per il duomo di Siena, i novelli spiriti si impongono, dunque, nella *Maestà* di Simone che sta a simbolizzare a pieno la civiltà del Trecento in Italia, quella ugualmente fiorita con le pagine del *Canzoniere* di Francesco Petrarca – amico di Simone in Avignone, come vedremo – o con le novelle di Giovanni Boccaccio. Nell'affresco di Siena, la Vergine non è più la figura iconica ancora di una certa osservanza bizantina, come nella gran tavola di Duccio, ma la "mater" più umana che è scesa in mezzo al popolo di Siena, attorniata dalla sua corte celeste, mentre due angeli offrono a lei coppe colme di fiori. Sentimenti, questi, di una realtà nuova di fronte al primo Medioevo, sviluppatasi non solo e non tanto dalle figurazioni e dal soggetto, quanto dalla conformazione compositiva di esso, da una linea che fluisce armoniosa da una figura all'altra e da un più tenue colore. Lo svolgersi delle ampie vesti, il movimento del baldacchino, come alitato dal vento, l'ondeggiare degli angeli e dei santi accanto al trono, la ricchezza con cui sono ricamate le stoffe, gli ornamenti, il continuo brillare dell'oro annullano d'un tratto ogni ricordo del passato. E accanto al nuovo significato culturale vi è quello religioso e civile a un tempo, confortato dalle significative, numerose iscrizioni inserite nell'affresco e che possono assommarsi nelle ammonizioni della Vergine, rivolte principalmente ai reggitori della Repubblica di Siena, in quei versetti fra i più belli del nostro Dolce Stil Novo: «Li angelichi fiorecti rose et gigli/onde s'adorna lo celeste prato/non mi dilettan più che i buon consigli/ma talor veggio chi per propio stato/disprezza me e la mia terra inganna/e quando parla peggio è più lodato/guardi ciascun cui questo dir condanna». E ancora: «Diletti miei ponete nelle menti/che li devoti vostri preghi onesti/come vorrete voi farò contenti/ma se i potenti a' debili fien molesti/gravando loro o con vergogne o danni/le vostre orazion non son per questi/ne per qualunque la mia terra inganni». Ai piedi dell'affresco, sul poco intonaco originale rimasto, si scorgono ancora la data e il nome di Simone, insieme ad altre parole che dovevano comporsi in terzine che, con più o meno accettabili integrazioni, potevano così leggersi: «Mille trecento quindici vol... [era volto? volgeva?]/et Delia avia ogni bel fiore spinto/et Juno gridava i mi rivoll... [rivolto?]/.../S... [Siena?] a man di Symon».

Delia, cioè Diana, la Primavera aveva ormai fatto sbocciare

Nella pagina a fianco, dall'alto:
Duccio di Buoninsegna, *Maestà* (1308-1311); Siena, Museo dell'Opera del duomo.

Simone Martini, *Maestà* (1313-1315 e 1321).

La grande pala di Duccio di Buoninsegna fu allogata all'artista il 9 ottobre del 1308 dall'"operaio" del duomo di Siena Jacopo de' Marescotti per l'altar maggiore. Era dipinta sui due lati, a tempera, compresi predella e coronamento. Il complesso è oggi smembrato: la maggior parte è conservato nel museo senese, alcuni elementi della predella e del coronamento sono invece conservati in collezioni e musei stranieri. L'affresco di Simone Martini con la *Maestà* fu realizzato tra il 1313 e il 1315 e nel 1321 fu "restaurato" dallo stesso Simone e dalla sua bottega. L'opera, pur presentando chiare componenti duccesche, si rivela ricca di spunti pittorici giunti in Italia dall'Inghilterra e dalla Francia. Il grande affresco è concepito come una grandiosa opera di oreficeria, arricchito con decorazioni a punzone in oro zecchino, con parti metalliche colorate, rilievi a stucco e persino carte incollate sull'arriccio per i cartigli inscritti.

Lippo Memmi,
Maestà
(1317);
San Gimignano,
Palazzo del Comune,
sala di Dante.

i fiori, e Giunone, cui era dedicato il mese di giugno, stava per rivoltarsi, cioè per entrare nella seconda metà. Il termine dell'esecuzione dell'opera famosa deve così porsi con esattezza al 15 giugno 1315.

Sei anni dopo, nel 1321, lo stesso Simone Martini viene nuovamente chiamato dai reggitori della repubblica perché «racconci» l'ampio affresco della *Maestà*; non sappiamo per quale motivo, forse per alcuni danni sofferti dalla pittura ma anche per rendere più moderno, sia nello stile che nell'iconografia, il soggetto stesso: ipotesi, quest'ultima, avvalorata dai nuovi, strepitosi risultati ottenuti dai restauri in corso (1991).

D'altronde, fra la prima stesura dell'affresco e i rifacimenti del 1321, viene a intersecarsi l'esperienza assisiate di Simone con il ciclo stupendo delle *Storie di san Martino*, nella cappella omonima della basilica inferiore di San Francesco, eseguite da Simone, secondo la più recente critica, fra il 1314-1315 e il 1317-1318. L'occasione era nata proprio nel 1312, con un lascito di ben seicento fiorini ai frati francescani di Assisi da parte del frate minore francescano Gentile Partino da Montefiore, cardinale con il titolo di San Silvestro e San Martino ai Monti. La somma doveva essere spesa per una decorazione di una cappella in San Francesco da dedicarsi a san Martino. Il cardinale Gentile, che era stato più volte a Siena, ove certamente deve aver conosciuto il Martini, moriva pochi mesi dopo a Lucca mentre si apprestava a trasferire in Avignone, allora sede del papato, il tesoro della Chiesa. La commissione per affrescare la cappella deve essere avvenuta poco dopo. Fu scelto "maestro" Simone forse perché già indicato dal cardinale e anche perché l'artista diveniva in quel tempo pittore della corte napoletana degli Angiò e dalla quale sarà insignito del titolo di "miles", cioè di cavaliere, con appannaggio annuo di cinquanta once d'oro (23 luglio 1317). In quest'anno, probabilmente, egli esegue la pala *San Ludovico di Tolosa incorona il fratello Roberto re di Napoli*. La grande tavola, firmata «Simon de Senis pinxit», ed eseguita per la chiesa di San Lorenzo Maggiore a Napoli, è oggi al Museo di Capodimonte; sembra ripetere le concezioni

Lippo Memmi riprende la composizione della *Maestà* di Simone Martini. La svolge tuttavia in senso orizzontale addossando i personaggi l'uno accanto all'altro. Fu pagata nel 1317 «a Memmo pittore e a Lippo suo figliolo»; tuttavia la mano assai più arcaica e giottesca di Memmo si riscontra solo nella figura inginocchiata del committente, il podestà Nello di Mino de' Tolomei, e in qualche altra parte. D'altronde, l'affresco è firmato dal solo Lippo, forse non ancora maggiorenne: si spiegherebbe così il pagamento fatto al padre in qualità di mallevatore del figlio. Le coppie di santi alle due estremità furono eseguite nella seconda metà del Trecento da Bartolo di Fredi. Le due figure di destra furono quasi completamente rifatte da Benozzo Gozzoli nel 1467.

culturali e massimamente politiche della *Maestà* di Siena, una specie di sottile manifesto allo scopo di confermare la legittimità al trono di Napoli – contro voci tendenziose di usurpazione – da parte di Roberto d'Angiò, dopo la rinuncia a suo favore fatta dal fratello Ludovico eletto vescovo di Tolosa nel 1296 e canonizzato proprio nel 1317. Nella tavola, infatti, san Ludovico, quasi novello padre, riceve da due angeli la corona di santità e a sua volta incorona il fratello Roberto re di Napoli. La potenza ascetica del santo, la fermezza del profilo del re – come isolate figure immateriali sul fondo oro – si vivificano attraverso il fluire della linea disegnativa e la ricchezza della decorazione con cui si ammanta tutta la pittura, che ancora una volta sembra assurgere a un grandioso pezzo di oreficeria gotica su cui spiccano impassibili i volti dei due personaggi, da annoverarsi fra i primi e più sorprendenti ritratti di tutta la nostra pittura. La predella della pala napoletana, con *Storie della vita di san Ludovico*, si diversifica per una maggiore ricerca naturalistica e per lo studio di uno spazio architettonico entro cui far muovere i personaggi: tutti elementi senza dubbio appresi da Simone in Assisi dai notissimi affreschi di Giotto.

Il dipinto ha un carattere squisitamente politico e fu commissionato da re Roberto d'Angiò: Ludovico, figlio di Carlo II d'Angiò, re di Sicilia, e di Maria d'Ungheria, nel 1296, a Montpellier, aveva solennemente rinunciato alla corona di Napoli in favore del fratello Roberto per prendere i voti religiosi. L'ascesa al trono di Roberto sollevò numerose contestazioni; con la canonizzazione del fratello, avvenuta il 7 aprile 1317, il re di Napoli ebbe l'occasione di ribadire la legittimità del proprio regno. Alla potenza ascetica fissa e monumentale dei due personaggi corrisponde la piacevolezza viva delle storielle della predella, composte in una struttura non certo immemore degli affreschi assisiati di Giotto.

Assisi e Giotto

Qui sopra:
*Resurrezione del
fanciullo*
(1314-1318),
particolare;
Assisi,
basilica inferiore
di San Francesco,
cappella
di San Martino.

**L'immagine è forse
l'autoritratto
di Simone Martini.**

Nella pagina a fianco:
*Investitura
a cavaliere*
(1314-1318),
particolare.

IL CICLO DI AFFRESCHI nella cappella di San Martino nella basilica inferiore di San Francesco, tra i più belli e fondamentali di tutta la pittura del Trecento, fu attribuito a Simone Martini solo alla fine del Settecento, con Sebastiano Ranghiasci, un antiquario erudito di Gubbio; il Vasari li aveva assegnati a Puccio Capanna allievo di Giotto, mentre aveva attribuito al Martini il ciclo di Andrea di Bonaiuto nel Cappellone degli Spagnoli in Santa Maria Novella a Firenze. Fu tuttavia il Cavalcaselle, nella sua *Storia della Pittura in Italia*, del 1885, a ratificare l'appartenenza a Simone degli affreschi assisiati.

È stato più volte detto che il senese sembra qui voler gareggiare per novità e valore prospettico con lo stesso Giotto. Già nelle *Epistulae de rebus familiaribus* Francesco Petrarca scrive che «duos ego novi pictores egregios, nec formosos: Joctum florentinum civem, cuius inter modernos fama ingens est, et Simonem senensem». Quali affinità, dunque si potranno mai riscontrare tra Simone e Giotto? Allusioni chiare e numerose alla pittura del grande artista fiorentino vengono via via registrate dal senese, per esempio, nel suo *Crocifisso* nella chiesa della Misericordia a San Casciano Val di Pesa: un tenero ricordo della croce dipinta da Giotto per Santa Maria Novella a Firenze. Negli affreschi assisiati, in particolar modo, la prospettiva giottesca si evidenzia negli scorci dei volti, nelle sferiche teste rapate dei religiosi, solo segnate dalle chieriche sino a divenire elementi di una fantasia geometrica nella aureolata testa del chierico inginocchiato sul corpo di san Martino, nella scena della morte del santo. Si evidenzia poi negli spazi aperti, siano essi scanditi dai precipiti roccioni nella *Rinuncia alle armi* e nella *Resurrezione del fanciullo*, o dalle esilissime architetture gotiche che inquadrano tutte le altre scene. Tuttavia, le divergenze fra lo stile di questi due sommi è grande e innegabile: la petrigna e monumentale saldezza delle figurazioni giottesche, come d'un tratto bloccate nella fermezza degli atteggiamenti, tutta si scioglie nelle liriche figurazioni di Simone, create come a passo di danza: scene di vita laica e religiosa allo stesso tempo, ma

impregnate di una aristocratica eleganza, come in raffinati cerimoniali. Non v'è interruzione fra l'una e l'altra scena poiché la linea corre armoniosa riannodando, quasi commentando, gesti e racconto. Ogni atteggiamento, ogni volger di sguardi, nell'accuratezza dell'osservazione, è rigorosamente calibrato nell'andar della favola come, e mi si permetta il raffronto, uno spezzone di pellicola cinematografica, anche se ogni scena possiede una sua poetica individuale: dal profondo, incantato silenzio nella *Meditazione del santo*, si passa al risonante salmodiare dei chierici, assenti e disinteressati, nelle *Esequie*, al tintinnare delle monete d'oro che passano, una a una, spinte dal pollice, dalla mano del tesoriere a quella del soldato, nel brano stupendo della *Rinuncia alle armi*, giù giù in un ritmo serrato di particolari o di naturali atteggiamenti sino all'umoristica smorfia del giovane curioso con il berrettone azzurro (un autoritratto?) nell'altrettanto eccezionale scena della *Resurrezione del fanciullo*.

La poesia di Simone è dunque totalmente differente da

**Qui sopra,
da sinistra:**
Tederico o Lippo
Memmi,
Patto di Giuda
(1333-1342),
particolare;
San Gimignano,
Collegiata.

Rinuncia alle armi
(1314-1318),
particolare.

**L'afflato drammatico
dei Memmi
si discosta
da quello
tutto musicale
e sciolto
di Simone Martini.**

quella di Giotto e ne rafforza la distinta personalità un colore dalla purezza adamantina scelto nelle sue componenti primarie, nella nettezza del taglio, nel folgorare dell'oro. Ma la favola poi si interrompe di fronte a una realtà nuova per l'alternanza dei volti degli astanti nei singoli racconti, vera e propria galleria di ritratti: musici, chierici pasciuti, coristi, gente ricca e povera a far da scena. Vita di tutti i giorni, abbiamo detto, laica, religiosa, cavalleresca, fucina incredibile per quel Gotico cortese che prende le mosse da qui tanti decenni prima, per divulgarsi, sul finire del secolo, in tutta Europa. L'acutezza interpretativa raggiunge il suo vertice nel volto del cardinale Gentile Parrino, nella scena della *Dedicazione della cappella*, posta sul frontone interno della stessa: una testa calva, decisamente brutta, quasi al limite della caricatura e che ritroveremo in quella di Guido Riccio, ma di un rigore estremo nel segno costruttivo e di una eccezionale intensità espressiva nello sguardo fisso verso gli occhi scrutatori di san Martino, assai prossimi a quelli dei personaggi nella *Cattura di Cristo* e nel *Patto di Giuda*, dei ben noti affreschi neotestamentari nella Collegiata di San Gimignano, assegnati allo sconosciuto Barna da Siena, da identificarsi, probabilmente, con Tederico o con Lippo Memmi.

Anche ad Assisi Simone ebbe certamente "chompagni" e "gignori", la cui collaborazione tuttavia si amalgama perfettamente sotto la guida del maestro, tanto da non lasciar segni di disuguaglianza o di stanchezza, a cominciare dalle vetrate della cappella attribuite a cartoni di Simone, quindi al cosiddetto "Maestro di Figline", e più recentemente riproposte come di mano dello stesso Martini, collocate intorno al 1312-1313, prima cioè dell'inizio degli affreschi.

Gli aiuti meglio si individuano nella serie dei *Santi* sugli sguanci dei finestroni e del sott'arco d'ingresso, pur nella «si-

curezza spaziale delle immagini» che evocano forme prossime alla coeva scultura senese di un Giovanni Pisano o di un Tino di Camaino. In altri affreschi, sul braccio destro del transetto, nella stessa basilica inferiore, con una *Madonna fra due santi coronati* e una serie di altri cinque *Santi*, si possono ugualmente intravedere gli aiuti, anche se in talune figure la qualità eccelsa non lascia dubbi sulla loro autografia. La *Santa Chiara* ne è forse l'esempio maggiore: una immagine fin troppo nota ma che nelle infinite riproduzioni commerciali non rende certamente, come scrive Enzo Carli (1959), il cristallino rigore e la volumetrica saldezza delle forme che riescono mirabilmente a unirsi a una estrema delicatezza e trasparenza di stesura pittorica. Il perfetto ovale del volto della santa appare, infatti, modellato da sottilissimi passaggi cromatici che ne accennano, più che non ne definiscano, i tratti fisionomici; ma la fermezza e l'eleganza del suo disegno vengono riprese dai ritmi curvilinei e avvolgenti del candido velo e dalla banda intrisa di luce, sì che l'immagine, pur essendo nitidamente conclusa nei suoi contorni, acquista la sognante immateriale levità di una apparizione.

I polittici
e le pale d'altare

Madonna col Bambino
(1317 circa);
Colonia,
Wallraf-Richartz
Museum.

**Parte centrale
di un polittico, forse
quello eseguito
nel 1317 per la chiesa
di Sant'Agostino
a San Gimignano.
Altre parti
del polittico sono
al Fitzwilliam
Museum
di Cambridge
e in collezione
privata.**

IL PROBLEMA DELLA collaborazione si impone decisamente nelle numerose opere su tavola sortite dalla bottega di Simone, durante e subito dopo gli affreschi di Assisi, a cominciare cioè dal 1317-1318. Potremmo iniziare dallo smembrato polittico, probabilmente eseguito proprio a San Gimignano nel 1317, per la chiesa di Sant'Agostino e riferito dal Vasari al solo Lippo Memmi, al contrario quasi certamente firmato da Simone. Era composto di sette pannelli di cui solo cinque rintracciati; la parte centrale, con la *Madonna col Bambino*, è pervenuta recentemente al Wallraf-Richartz Museum di Colonia; i *Santi Agostino, Michele Arcangelo e Gimignano* sono invece al Fitzwilliam Museum di Cambridge e la *Santa Caterina* in Collezione Frescobaldi a Firenze. La composizione è ancora di sapore duccesco e con ricordi delle figure della *Maestà* di Simone del 1315, ma la resa stilistica è assai differente sia nella spaziosa eleganza formale che nella vibratilità, quasi epidermica, delle superfici pittoriche, che sembrano frangersi nei singoli particolari per poi subito riannodarsi nel lento fluire equilibratissimo delle linee di contorno. Se collaborazione vi fu, ancora una volta il genio di Simone impresse una perfetta fusione a ogni immagine. È, comunque, da pensare ai certi mutamenti che devono essere avvenuti in San Gimignano all'apparire di questo capolavoro messo a confronto per esempio con i compassati giottismi di un Memmo di Filippuccio e ben si comprende allora lo sviluppo rapido dello stile di Lippo Memmi. Questi, proprio nel 1317, andava terminando il grande affresco nella cosiddetta sala di Dante, nel Palazzo pubblico sangimignanese, raffigurante una *Maestà* ripresa da quella di Simone a Siena e che evidenzia, fra l'altro, le differenze fra le parti dovute a Lippo e qualche scarso e minore intervento più arcaico del padre Memmo, ormai solo e, significativamente, collaboratore del figlio.

In questi anni l'atelier di Simone, con Donato Martini, Lippo e Tederico Memmi, è un fatto compiuto; l'impronta ora degli uni, ora degli altri, sui vari polittici sortiti da tale bottega viene ad alternarsi come due piatti di una bilancia. Per esem-

Madonna col Bambino
(1321 circa);
Siena,
Pinacoteca nazionale.

**È fra le più pure
immagini femminili
dipinte da Simone.
Fu riscoperta
nel 1957 sotto
una rozza ridipintura
tardocinquecentesca
nella chiesa
di Lucignano
in Val d'Arbia.
Il dipinto
ci è pervenuto
senza il fondo oro,
probabilmente
asportato
nel Cinquecento
per far meglio
aderire al supporto
gessoso
la popolaresca
ridipintura;
forse per timorosa
devozione, il pittore
cinquecentesco
non se la sentì
però di asportare
il Bambino in fasce
e gli incarnati
delle due figure,
giunti così a noi
in buono stato
conservativo.**

*Polittico
di san Gimignano*
(1317 circa);
Cambridge,
Fitzwilliam Museum.

**Componeva, insieme
alla Madonna
col Bambino
del Museo di Colonia
riprodotta
a pagina 20,
e la Santa Caterina
in collezione privata,
il polittico eseguito
per la chiesa
di Sant'Agostino
a San Gimignano.
A sinistra
è raffigurato
san Gimignano,
al centro san Michele
e a destra
sant'Agostino,
dedicatario
della chiesa in cui
il polittico,
a detta del Vasari,
era collocato.**

pio, nel monumentale polittico eseguito da Simone verso il 1320 per la chiesa di Santa Caterina a Pisa e oggi nel Museo nazionale di San Matteo, la collaborazione, almeno in alcune zone minori, sembra abbastanza evidente. Il polittico può essere paragonato a un grandioso retablo in cui figurano ben quarantatré mezze figure di santi con al centro l'immancabile figurazione della *Madonna col Bambino*. L'opera era andata dispersa con le secolarizzazioni insieme, purtroppo, a centinaia di altri dipinti. Come ricorda Enrico Castelnuovo (1988), furono quasi sempre studiosi tedeschi del secolo scorso ad andare alla ricerca di dispersi "fondi oro" con assidue indagini che talvolta acquistarono un sapore poliziesco. Così fu anche per il polittico pisano: intorno al 1835 o poco prima, Ernest Förster prese l'avvio da quelle poche parti di polittico che erano state trasportate in un locale dell'Accademia di Pisa, con attribuzione a Giotto. Riconosciutele di scuola senese e convinto che facessero parte di un assai più grande complesso, incominciò a ricercarne le parti per tutta la città, finché non le ritrovò ammucchiate in uno stanzino del seminario vescovile arrivando anche a leggere, sotto l'immagine della *Madonna col Bambino*, il nome di Simone; ma, preoccupatissimo che i numerosi scomparti potessero prendere la via del commercio antiquario, non volle rivelare il luogo della scoperta, mentre cercava una definitiva e prestigiosa collocazione nella Galleria degli Uffizi a Firenze. Non vorremmo troppo dilungarci su tali, seppure interessanti peripezie, solo chiuderemo ricordando le illuminanti parole

Polittico di Pisa
(1320);
Pisa,
Museo di San Matteo.

**Il grandioso retablo
fu in gran parte
rintracciato a pezzi
nel 1835
dallo studioso
tedesco Förster
con un'indagine
dal sapore quasi
poliziesco che prese
l'avvio da quelle
poche parti
di polittico allora
conosciute,
custodite
in un locale
dell'Accademia
di Pisa
con un'attribuzione
a Giotto.
L'opera era stata
eseguita da Simone
nell'anno 1320
per la chiesa
di Santa Caterina
a Pisa.**

scritte in proposito dal padre Guglielmo della Valle, nelle sue *Lettere Sanesi* del 1785: «La barbarie o noncuranza somma con cui in questi ultimi tempi sono state trascurate o disperse molte tavole [...] con quel furore che invasò il nostro secolo di rimodernare, cioè di porre certe pitturacce moderne al luogo delle antiche [...] nauseati delle pitture vecchie di Simone e offesi dalle loro cornici acuminate che danno agli occhi dei seguaci della moda, l'abbiano distrutte». La ricerca, tuttavia, continua ancor oggi, come dimostra la recente scoperta del mirabilissimo affresco attribuito a Duccio (da taluni, ma erroneamente per chi scrive, anche a Simone Martini) nel Palazzo pubblico di Siena. E lo dimostra ancora il ritrovamento della *Madonna col Bambino*, uno dei capolavori di Simone Martini, nella chiesa parrocchiale di Lucignano Val d'Arbia.

Nel polittico di Pisa, Simone Martini superò egregiamente lo scoglio della divisione dei numerosi pannelli ove sono inserite le immagini sacre, componendo, con ricchezza di motivi sempre differenti, ognuna di esse, sì che i gesti, i moduli delle vesti, gli oggetti del martirio, i simboli sembrano richiamarsi a vicenda e unirsi infine in un musicale afflato sorretto, come sempre, da un colore trasparente, intriso di fulgore aureo offerto dai broccati dei manti ove le lacche splendono come gemme purpuree.

Intorno al 1320, l'atelier di Simone produsse per la città di Orvieto almeno tre polittici: l'uno commesso per i domenicani dal vescovo di Soana, Trasmundo Monaldeschi, che pagò

23

per l'esecuzione dell'opera ben 100 fiorini d'oro; gli altri due per i francescani. Il primo, firmato ancora da Simone (del nome rimane solo la lettera "N") e datato 1320, era probabilmente composto di sette pannelli, oggi ridotti a cinque, che si trovano al Museo dell'Opera del duomo di Orvieto. Nelle figure dei pannelli laterali, pur tuttavia bellissime, dagli intensi sguardi, è da scorgere anche la mano di Lippo Memmi o quanto meno di un "chompagno" di Simone, forse proprio quello che affrescò le storie neotestamentarie nella Collegiata di San Gimignano. Il pannello centrale, con la *Madonna col Bambino*, è certamente autografo del maestro: la purezza del segno costruisce il volto di Maria Vergine, chiuso in un perfetto ovale, che emerge da pochi, essenziali tratti come per timore reverenziale. Vi si esprime all'unisono una regale e nello stesso tempo umile compostezza. Il Bambino, pur sempre nella chiusa armonia compositiva, possiede maggiore struttura plastica.

Di un secondo polittico, eseguito per i francescani, resta a Orvieto, sempre al Museo dell'Opera del duomo, solo la parte centrale tricuspidata; viene assegnato a Simone o a qualche più stretto collaboratore della bottega. La cuspide centrale con il *Cristo benedicente*, sembra autografa nel perfetto ed elegante svolgimento della forma, liricamente esaltata dal nobile contenuto figurativo.

Il terzo polittico orvietano, a cinque pannelli, e ugualmente proveniente da San Francesco, fu alienato ai primi del Novecento passando in collezione Gardner e quindi nell'Isabella Stewart Gardner Museum di Boston. Ancora una volta gli studiosi hanno dibattuto il problema dell'autografia di questo dipinto riscontrandovi una collaborazione almeno nei pannelli laterali; l'idea del Bambino che scherza solleticando il mento della Madre non può che essere del maestro. D'altronde, se poniamo mente a un ennesimo pannello sempre raffigurante la Madonna con Bambino, detta *Madonna del popolo*, firmato solamente da Lippo Memmi e conservato nella chiesa di Santa Maria dei Servi a Siena, non potremo fare a meno di osservare la stretta somiglianza di stile con le Madonne orvietane. Questa di Siena è veramente una sublime immagine la cui altissima qualità, meglio ora venuta alla luce dopo un recente restauro,

indurrebbe a credere che, accanto a Lippo, vi sia stato anche un intervento di Simone.

Nessun volto femminile, tuttavia, raggiunge la bellezza di quello della *Madonna* di Lucignano, in Val d'Arbia, riscoperta da Enzo Carli nel 1957 sotto una rozza immagine tardocinquecentesca. Purtroppo il fondo d'oro e il manto della Vergine furono allora asportati per far meglio aderire al supporto gessoso la popolaresca ridipintura. Si salvarono in buone condizioni – forse per timorosa devozione del pittore cinquecentesco – il Bambino e gli incarnati della Madre. Siamo intorno al 1321 o poco dopo, negli stessi anni del politico pisano e di quelli di Orvieto, anni veramente di intensa attività per Simone Martini e "chompagni". È stato più volte fatta notare la rara, se non unica, posizione della Madonna che reclina il capo verso la sua spalla destra, anziché su quella sinistra; il Bambino viene anche mostrato in fasce, "infans" e non "puer". Ma se ciò può essere motivo di interesse iconografico, nulla apporta o toglie alla bellezza di questa immagine materna, triste e serena a un tempo, sublimata dalla purezza della linea e da un colore estremamente delicato. Quel volto di Maria è forse il più idealizzato e bello di tutta la pittura gotica europea.

E accanto ai politici, le grandi tavole che sortirono sempre dalla bottega e dalla stessa mano di Simone; perché se, per esempio, la gran pala con il *Trionfo di san Tommaso*, nella chiesa di Santa Caterina a Pisa, viene oggi meglio assegnata a Lippo Memmi piuttosto che al pisano Francesco Traini, sia pure sotto la stretta influenza di Lippo, dovremo accettare almeno in gran parte di mano dello stesso Simone Martini l'altra grande tavola, oggi in deposito presso la Pinacoteca nazionale di Siena, raffigurante il *Beato Agostino Novello e quattro suoi miracoli*. Le fonti storiche senesi attestano che la pala era collocata sopra la tomba del beato (morto nel 1309) nella chiesa di Sant'Agostino a Siena. Come è solito nell'arte religiosa di questa città, anche tale beato ha l'aureola di santo, in segno non della sua mai avvenuta canonizzazione, ma del profondo culto popolare certamente sollecitato dal potente ordine dei mendicanti eremiti agostiniani cui il beato Novello apparteneva. A prescindere dalla qualità eccelsa, riscontrabile in ogni parte del dipinto, le

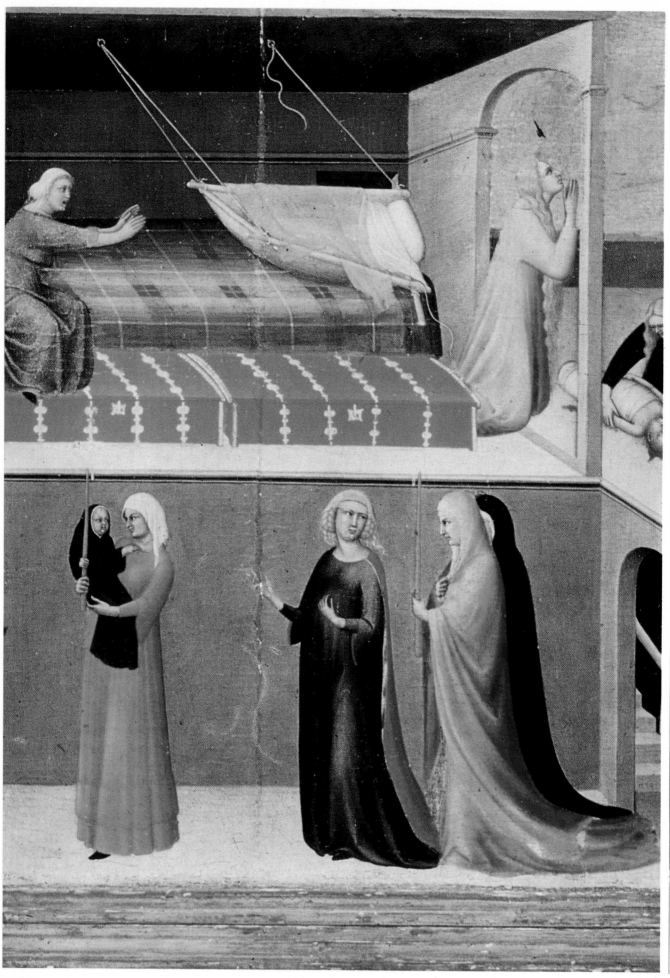

Qui sopra:
Beato Agostino Novello
(1328).

Nella pagina a fianco:
*Miracolo del bambino
caduto dalla culla,*
tavola del *Beato
Agostino Novello,*
particolare.

«novità e le qualità stesse sono più chiaramente intelligibili quanto più ci si proponga di distanziarlo da quell'apice di straordinaria astrazione formale e di sofisticata eleganza che è l'*Annunciazione* del 1333» (Bagnoli, 1985). Siamo quindi in coerenza con l'attività simoniana degli anni Venti.

Il fascino del dipinto è in gran parte offerto dalle quattro storiette con i miracoli rifiorenti entro le mura di una Siena tutta medioevale, nel chiuso di una stanzetta o fra le vallate cretose dei dintorni della città. È tutto un susseguirsi di immagini trasognate eppur nitidissime per il testo del racconto: un fanciullo che precipita, come se volasse, da un'altana o un cavaliere nel fondo di un burrone; un cane feroce che tenta di sbranare un bambino e infine il figlio di monna Margherita e di Mignuccio di messer Giovanni Paganelli caduto dalla culla e salvato dal beato. Questo racconto è il più soave e tenero di tutte le storiette; la divisione in due zone, con il miracolo vero e proprio e la piccola processione di ringraziamento con il miracolato vestito da fraticello eremita agostiniano, viene annullata nella perfetta scansione degli spazi e dei volumi. La culla sembra acquistare il valore di una natura morta di almeno un secolo dopo, mentre la processione del ringraziamento può essere paragonata solo alle idee sublimi di Giotto a Padova, ché solo il genio di Giotto, insieme a Simone, poté ideare accostamenti cromatici così nuovi unendo, per esempio, il manto rosso rosa della donna con la candela a destra, alla nera striscia di manto della donna vicina ma quasi del tutto invisibile.

**La tavola
è divisa
in tre campi:**
al centro l'immagine
del beato senese,
ai lati sono narrati
quattro miracoli
da lui operati.
Il beato Agostino
Novello era nato
verso il 1235
a Terranova di Sicilia
da padre senese;
dopo aver studiato
legge a Bologna
fu eletto consigliere
e giudice
da re Manfredi.
Alla morte del re
entrò nell'ordine
agostiniano
e si trasferì a Siena.
Morì nel maggio 1309
nell'eremo di San
Leonardo al Lago
presso Siena
e divenne subito
uno dei personaggi
più venerati
dai senesi.

Guido Riccio
da Fogliano

Qui sopra:
*Guido Riccio
da Fogliano*
(1328), particolare
con il castello
di Montemassi
in Maremma;
Siena,
Palazzo pubblico, sala
del Mappamondo.

**Gran parte
del castello
(la zona in cui
è riscontrabile
il cambiamento
del colore)
fu rifatta forse
nel 1492,
probabilmente
sull'impronta
originale.**

Nella pagina a fianco:
*Guido Riccio
da Fogliano*,
particolare.

**Il ritratto di Guido
Riccio presenta
l'impronta
della decorazione
a rilievo; le parti
in lamina metallica
andarono totalmente
perdute, perché
si distaccarono
ben presto
dall'intonaco.**

L SOGNO SEMBRA
continuare con una seconda immagine, la quale, se ugualmente possiede verità storica, ci si presenta come astratta apparizione. Si tratta del notissimo affresco raffigurante *Guido Riccio da Fogliano*, comandante dell'esercito senese nella presa del castello di Montemassi in Maremma, nel 1328, come indica anche la data posta al di sotto della figura del cavaliere. Per le pressioni forse molto insistenti dello stesso comandante vittorioso, la repubblica di Siena decise di raffigurarlo nella stessa sala maggiore del Palazzo pubblico, proprio sulla parete di fronte alla *Maestà* che Simone Martini aveva dipinto nel 1315-1321. Da un documento conservato nell'Archivio di Stato di Siena (2 maggio 1330 – «a maestro Simone dipentore le quali 16 libre li demmo per la depentura che fece di Montemassi et Sassoforte nel Palazzo del Comune et avemmone poliza da' Signiori Nove») conosciamo l'autore e la data di esecuzione dell'opera, nella quale probabilmente si vollero anche esaltare le glorie civiche della repubblica di fronte alle glorie religiose e politiche che il "parlar cortese" della *Maestà* aveva espresso sull'opposta parete. Una recente, quanto per noi assurda "querelle" avrebbe voluto indicare nell'affresco del *Guido Riccio* un falso settecentesco, o quanto meno un'opera di un modesto pittore tardotrecentesco, o addirittura un "pastiche" ricavato da un primo affresco facente parte del mappamondo di Ambrogio Lorenzetti. Passato il primo momento di sorpresa, anche la "querelle" su tale capolavoro pittorico è andata affievolendosi, per non dire svanendo, anche alla luce di nuove interessantissime scoperte avvenute durante il restauro ancora in corso (a oggi, inizio 1991) sulla *Maestà* e non ancora rese note.

Per meglio comprendere la bellezza del *Guido Riccio*, dobbiamo innanzi tutto por mente allo stato di grave fatiscenza in cui si trova l'affresco, malgrado il restauro tutto conservativo cui l'opera è stata di recente sottoposta. Addirittura, tutta la zona di sinistra, con il castello di Montemassi, appartiene a un rifacimento, anche se certamente ripreso sull'originale, di tardo Quattrocento (probabilmente del 1492), mentre l'azzurro del

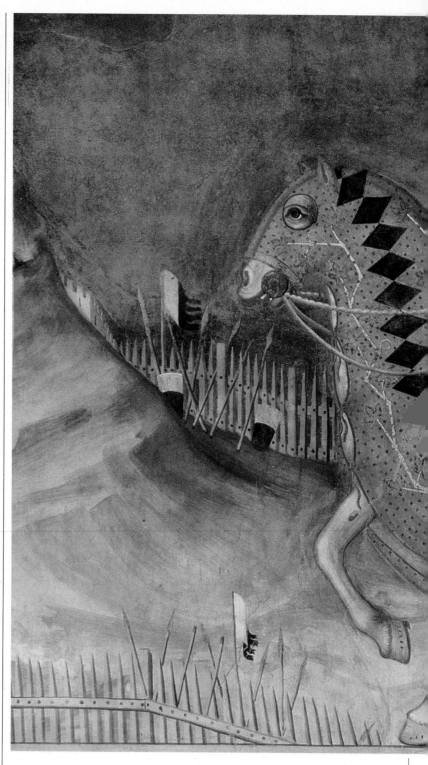

cielo quasi scomparso, fu ripassato con un colore blu notte. In buono stato, invece, si trova la figura del cavaliere, quella del "battifolle", cioè di quella specie di casamatta mobile somigliante a un secondo castello, e l'immagine dell'accampamento dell'esercito senese, ancor più bello di quello che si vede nella scena della *Rinuncia alle armi* degli affreschi assisiati di Simone. Ma dobbiamo anche pensare a tutta la ricchissima decorazione andata totalmente perduta, tranne i punzoni aurei, tipici, per non dire unici, della pittura di Simone Martini, impressi ancora una volta sull'intonaco fresco di giornata. Infatti, nella figura del *Guido Riccio*, la gorgiera, la bolgia, la manica, la ginocchiera, gli schinieri, la scarpa e le foglie di pampino sulla

giornea e sulla gualdrappa del cavallo (ridipinte posteriormen-
te di verde) erano ricoperte da una sottile lamina di piombo
argentato; le losanghe, ugualmente ridipinte di nero, erano
probabilmente auree: una pazienza estrema, dunque, un amo-
re infinito in questo apparato decorativo del *Guido Riccio*, per
rendere tutto il gruppo centrale fulgido di argentei riflessi, come aurei erano quelli della *Maestà* sulla parete di fronte. Purtroppo, con la caduta del metallo (ne sono stati rintracciati mi-
croscopici frammenti durante l'accennato restauro) applicato
naturalmente a secco sull'intonaco, gli effetti di tale preziosità
sono andati tutti perduti; tuttavia, pensando ad altre opere di
Simone giunteci con la loro decorazione, possiamo bene im-

del 1315 affrescata
nella stessa sala,
che negli affreschi
assisiati.
Della decorazione
originale costituita
da lamine di piombo
argentate rimane
purtroppo solo
l'impronta a rilievo
eseguita con appositi
punzoni pressati
sull'intonaco fresco
di giornata.

Nella pagina a fianco, in alto da sinistra:
Rinuncia alle armi
(1314-1318),
particolare;
Assisi,
basilica inferiore
di San Francesco,
cappella San Martino.

*Guido Riccio
da Fogliano,*
particolare
dell'accampamento
senese.

Nella pagina a fianco, in basso:
*Guido Riccio
da Fogliano,*
particolare
del "battifolle".

**Il "battifolle" era
un castello mobile
prefabbricato
di legno e muratura
che serviva
per avvicinarsi
alla fortezza nemica
in difesa e offesa.**

maginarli. D'altronde, non si conosce altro pittore, senese e non, che raggiunga nelle sue opere effetti tanto ricercati e preziosi.

L'immagine del cavaliere doveva così apparire di grande effetto, isolata tra fantasia e realtà. Ammantato della giornea ricamata con le insegne della famiglia dei da Fogliano (serie di losanghe da cui si dipartono stilizzate foglie di pampino su fondo oro), Guido Riccio monta un cavallo «di pelo bianco con istella in fronte col mostaccio bianco», forse quello stesso che Guido Riccio perse in combattimento. Il volto del cavaliere, rude e popolaresco, da soldataccio di ventura, ricorda nella sua caratterizzazione quelli del cardinale Gentile o dei paffuti chierici salmodianti negli affreschi assisiati, ma tutto il gruppo appare avulso da ogni concretezza fisica, quasi figura astratta nella modulata costruzione, come se la linea di contorno non riuscisse a ritrarre che puri accordi melodici, ripetuti dal continuo fluire delle losanghe sulla giornea e sulla gualdrappa, e anche dalla instabilità del cavallo che sembra reggersi senza solida base. Tale senso di irrealtà, provocata per far meglio risaltare la magia della scena, prosegue nel paesaggio che si delinea sul fondo del cielo o sulle brulle crete della Maremma toscana. Anche nell'accampamento dell'esercito senese, sull'estrema destra del dipinto, che ricorda sensibilmente quello assisiate con la *Rinuncia alle armi*, affiora nel desolato silenzio quel senso di magica astrazione propria allo stile dell'artista.

Parete
del *Guido Riccio.*

**In alto l'affresco
raffigurante *Guido
Riccio da Fogliano;*
in basso al centro
la *Resa di un castello*
(1314 circa),
forse il castello
di Giuncarico
in Maremma.
L'affresco è stato
attribuito a Memmo
di Filippuccio
o a Duccio
di Buoninsegna.
Ai lati, *Sant'Ansano*
e *San Vittore* eseguiti
dal Sodoma nel 1529.
I segni circolari
al centro della parete
furono causati
dal ruotare
del distrutto
mappamondo
dipinto da Ambrogio
Lorenzetti
nel 1344-1345
che dette il nome
alla sala.**

Intorno al 1330

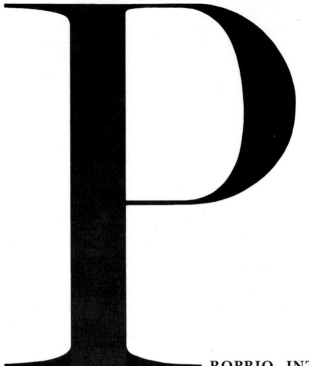

ROPRIO INTORNO AL 1330 lo stile di Simone Martini diviene sempre più raffinato e sottile, più gotico, insomma, e trascende ormai ogni allusione naturalistica sì da divenire estremamente lirico. È il momento supremo della *Annunciazione*, con ai lati *Sant'Ansano* e *Santa Margherita*, eseguita nel 1333 per il duomo di Siena, nel Settecento relegata nella chiesetta di Sant'Ansano e quindi, per ordine del granduca di Toscana, trasportata a Firenze e il primo gennaio del 1799 entrata a far parte delle collezioni granducali fiorentine nella Galleria degli Uffizi. La tavola-trittico è firmata da Simone e da Lippo: «Symon Martini et Lippus Memmi de Senis me pinxerunt – Anno Domini MCCCXXXIII». E ancora ecco gli studiosi pronti a intervenire per cercare di discernere le parti dell'uno da quelle dell'altro maestro, indicando più spesso quella di Lippo nei soli scomparti laterali con i due santi e più raramente anche nei medaglioncini della cornice, la Vergine Annunciata o solo la decorazione della cornice stessa con la sua doratura. Siamo, tuttavia, di fronte al più celebrato capolavoro di Simone Martini: sembra quindi sterile ogni più insistente indagine attributiva che, come detto all'inizio, sfida ogni conoscitore a individuare i rispettivi interventi.

A colpire l'osservatore, innanzi tutto, sarà la folgorazione luminosa offerta dal colore intriso d'oro, dalla preziosità dei ricami che offrono le punzonature che, simili al cesello di un orefice, incidono la superficie dorata – quella originale – o la rilevano con la pastiglia, sì che la luce talvolta scivola rapida fuggendo sulla liscia lastra dorata, talaltra invece vibra ininterrottamente andando a rifrangersi nei mille rivoletti delle aureole, sui broccati dei manti, sulle ali degli angeli e persino sulla scritta dell'annuncio.

Tale fragile vibratilità va placandosi nell'armonia del "ductus" lineare creatore delle immagini. La Vergine, esangue, di struggente soavità, si ritrae timorosa all'apparizione dell'angelo ancora in movimento con le ali aperte e al massimo della loro tensione in verticale, contrapposte alla fluenza dei lembi del manto. Sull'aurato vano luminoso fra le due immagini cen-

**Qui accanto e
nella pagina a fianco:**
*Trittico
dell'Annunciazione*
(1333),
particolari;
Firenze,
Uffizi.

*Trittico
dell'Annunciazione*
(1333).

**È firmato
da Simone Martini
e Lippo Memmi.
Eseguito nel 1333
per il duomo
di Siena, rimosso
e trasportato
nella chiesa
di Sant'Ansano,
fu trasferito a Firenze
su desiderio
del granduca
di Toscana.
L'unitarietà stilistica
rende difficile
l'identificazione
dei due artisti;
a Lippo Memmi sono
generalmente
attribuiti i due santi
laterali, *Sant'Ansano*
e *Santa Margherita*.**

trali si stagliano nettissimi le foglie del ramo d'ulivo, sfiorato, più che sorretto, dalle esili mani di Gabriele, e il mazzo dei gigli, di una suprema astrazione quasi metafisica e centro di una specie di vortice che accomuna la composizione in una celestiale tenerezza da Paradiso dantesco.

Non è ben chiaro il motivo di tale superamento stilistico che vede ora l'artista senese volto a un misticismo più intimo e trascendentale.

Una allettante ipotesi ventilata da Ferdinando Bologna (1988), pone i nuovi spirituali concetti martiniani in relazione agli eventi politico-religiosi del tempo e particolarmente alle note, acerrime e sanguinose dispute in seno all'ordine dei frati minori francescani che portarono, nel giugno del 1322, il generale di quell'ordine, Michele da Cesena, ad accusare papa Giovanni XXII, allora sul trono, il quale aveva osato definire "eretica" la tesi cara a quei francescani spirituali pauperisti che portavano un lacero saio, corto e stretto, a imitazione di Cristo e degli apostoli che non avevano mai posseduto beni terreni. Si contrapponeva, insomma, il "Christus pauper" di fronte alla cupidigia tutta mondana delle gerarchie ecclesiastiche. La protesta di fra' Michele fu sottoscritta da Guglielmo da Nottingham e dai teorici che aspiravano alla netta separazione del potere civile da quello ecclesiastico ridimensionato a pura spiri-

Polittico della Passione
(1336 circa);
Anversa,
Musée royal
des Beaux-Arts.

**Probabile altarolo
a sportelli all'interno
del quale figuravano
le quattro scene
della *Passione
di Cristo* e nelle ante
le figure dell'*Angelo*
e dell'*Annunciata*.
L'opera
fu probabilmente
eseguita da Simone
prima della partenza
per Avignone
avvenuta nel 1336
o, come alcuni
studiosi
sono propensi
a credere, subito
dopo il suo arrivo
nella città francese.**

tualità. Idee che furono anche seguite dal massimo teorico della scolastica nominalistica più avanzata, l'inglese Guglielmo di Ockham fuggito dalle prigioni avignonesi ove era stato rinchiuso, poiché inquisito di eresia, su ordine dello stesso papa Giovanni XXII. L'adesione a tali tesi fu pienamente accolta dai principi regnanti che rivendicavano la piena autorità terrena. Fra il 1325 e il 1326, l'imperatore Ludovico il Bavaro riuscì a raggiungere Roma ove pose sul trono un papa francescano avverso a quello ufficiale in Avignone.

D'altronde, al di sopra di ogni vicenda terrena, è sempre il genio multiforme dell'artista a creare l'opera d'arte e a mutarne il suo linguaggio.

Comunque, le tesi di Ferdinando Bologna non possono essere subito scartate anche se non possiamo dimenticare che Simone Martini, pochi anni dopo il 1333, partiva per Avignone proprio verso la corte papale. V'è anche da notare che, dopo lunghe incertezze ancora in atto, la critica in genere pone una delle più caratteristiche e nuove opere di Simone subito dopo l'*Annunciazione* degli Uffizi, e precisamente intorno al 1334-1335, forse ancor prima della partenza dell'artista per la Francia; si tratta di un piccolo polittico dai concetti assai nuovi, forse un altarolo a sportelli all'interno del quale figuravano quattro scene della *Passione di Cristo* e nelle due ante le figure

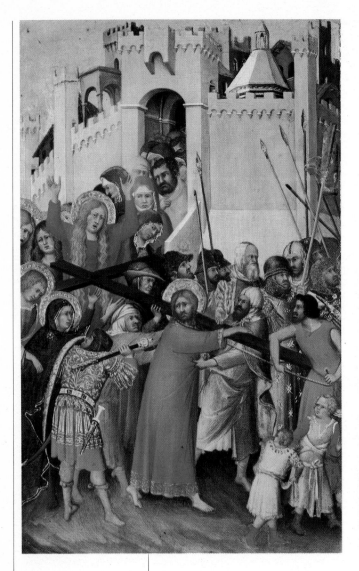

Andata al Calvario,
interno del *Polittico
della Passione*
(1336 circa);
Parigi,
Louvre.

dell'*Angelo* e dell'*Annunciata.* La firma «pinxit Simon» si legge sul bordo inferiore. Vi è chi pensa, tuttavia, che il dipinto sia posteriore alla partenza di Simone e quindi eseguito in Avignonè per il cardinale Napoleone Orsini, il cui stemma si scorge sul retro della tavoletta con l'*Andata al Calvario*; oltre tutto l'opera stessa si trovava in Francia almeno dalla fine del Trecento, nella Certosa di Champmoll presso Digione. Smembrato nel secolo scorso, i vari pezzi andarono a finire nei musei del Louvre a Parigi (*Andata al Calvario*), di Anversa (*Annunciazione, Crocifissione* e *Deposizione*), di Berlino (*Seppellimento di Cristo*).

La difficoltà cronologica per il prezioso altarolo è data particolarmente dal nuovo linguaggio martiniano che ora si fa quasi patetico, rasentando il drammatico, più inquieto e nervoso nella grafia. La folla è protagonista assoluta delle sacre rappresentazioni, come un ripensamento di fronte alla *Maestà* di Duccio del 1311. Per questo, per esempio, Giovanni Paccagnini (1955) pone l'opera fra la tavola con il *San Ludovico,* di Napoli, e il polittico pisano, quindi molto prima dell'*Annunciazione* degli Uffizi, di cui questa di Anversa sarebbe un nobilissimo precedente nella differenziazione giusta dell'intendere lo spazio e la stessa impostazione delle due figure, più calme e auliche nella modulata armonia dei contorni, ma anche più corpose di quanto non lo fosse la sigla astratta dell'*Annunciazione* fiorentina.

Crocefissione,
interno del *Polittico
della Passione*
(1336 circa);
Anversa,
Musée royal
des Beaux-Arts.

**Qui sopra,
da sinistra:**
Deposizione dalla croce,
interno del *Polittico
della Passione*
(1336 circa);
Anversa,
Musée royal
des Beaux-Arts.

Seppellimento di Cristo,
interno del *Polittico
della Passione*
(1336 circa);
Berlino,
Staatliche Museen.

Nella *Deposizione*, e più ancora nell'*Andata al Calvario*, la folla si assiepa intorno a Cristo, gesticolando, franando oppressa come un fiume in piena; ora si apre a voragine ai lati del Crocifisso, isolato, come ritagliato sulla lastra aurea del fondo. E ancora la folla è protagonista partecipe nella *Deposizione*, in una tensione verso l'alto che imprime alla composizione un continuo movimento ascensionale. Tuttavia l'espressività drammatica, quel senso di profonda inquietudine che affiora dal tumultuare della folla, sono chiari accenni anche a un naturalismo più intimo che riconducono il dipinto nella tarda attività di Simone, come ormai gran parte della critica contemporanea è disposta ad accettare.

Forse Simone Martini, giunto in Avignone, volle così meglio presentarsi alla committenza francese riprendendo motivi dalla gran pala di Duccio certo ben conosciuta, specialmente nell'ambiente ecclesiastico, come uno dei più importanti testi figurativi per la storia del Nuovo Testamento. D'altronde, le differenze fra il grandioso retablo duccesco e l'altarolo martiniano sono ben profonde, sempre paragonando lo stile ancor bizantineggiante del primo artista con quello tutto gotico e più sciolto del secondo. Oltre tutto, ci sembra che, a monte del *Polittico della Passione*, non possa non esservi quell'armonioso patetismo che già si rivela nelle storiette del *Beato Agostino Novello* e nelle opere posteriori.

Nelle quattro scene della *Passione* per la prima volta la folla è protagonista assoluta, quasi che Simone avesse voluto riandare col pensiero alle più tumultuose scene della Passione dipinte sul retro della *Maestà* di Duccio del 1311: omaggio altissimo dunque al grande maestro, reso da Simone fin nella sua ultima attività.

L'attività di Avignone

Qui sopra, dall'alto:
Cristo benedicente
e *Madonna dell'umiltà
e angeli,*
sinopie distaccate.

Nella pagina a fianco:
Cristo benedicente,
particolare
della sinopia staccata.

**Le sinopie
degli affreschi
che decoravano
il portale
della cattedrale
di Notre-Dame
des Doms ad
Avignone
furono staccate
nel 1960-1963
a causa
delle condizioni
deperitissime
degli affreschi.**

I NTORNO AL 1336, MENTRE alcuni altri studiosi posticipano la data al 1339, Simone Martini, con la moglie Giovanna e il fratello Donato, seguito poi da Lippo Memmi, parte per Avignone. L'attività dell'artista deve essere stata subito intensa anche in terra francese, presso la corte papale: committenti illustri, cardinali e laici, tra cui Francesco Petrarca, non dovevano mancare, oltre naturalmente lo stesso pontefice. Purtroppo e forse proprio per tale diversità di committenza, pochissime sono le opere sicure di Simone a noi giunte relative al periodo avignonese, anche se volessimo inserirvi l'altarolo Orsini già descritto. Opere, tuttavia, sempre firmate o documentate. Del 1342, per esempio, è un'altra piccola tavola con un ennesimo straordinario soggetto che vede Giuseppe rimproverare Gesù fanciullo riportandolo alla madre dopo la biblica disputa al tempio. Il soggetto è unico in tutta l'iconografia cristiana anche se ripreso dalle parole «Fili, quid fecisti nobis sic». Giuseppe corrucciato sembra borbottare qualcosa, mentre la madre volge severa lo sguardo verso il figlio. Il realismo di Simone va meglio orientandosi in questo straordinario racconto ove sembra affiorare, per dirla con le felici parole del Martindale (1988), «una semplice ma reale lite in famiglia». Non vi si riscontra quel certo patetismo o quel senso drammatico letto nelle scene dell'altarolo Orsini; solo riallacci all'astrazione formale dell'*Annunciazione* del 1333 interpretata ugualmente da una grafia frastagliata e minuta cui viene in aiuto anche l'evidenza mimica dei gesti. Son tutti sentimenti inaugurati, possiamo dire, da Simone alla corte avignonese, contributi fondamentali a quel discorso artistico divulgato poi dal Gotico internazionale di fine secolo.

Degli affreschi sul portale maggiore di Notre-Dame des Doms, con una *Madonna dell'umiltà e angeli,* entro la lunetta, e un *Cristo benedicente,* sul timpano soprastante, non restano che poche tracce assai deperite. Tuttavia, dopo il loro distacco avvenuto fra il 1960 e il 1963, sono venute alla luce mirabili sinopie sottostanti gli affreschi: una scoperta veramente straordinaria anche dal punto di vista tecnico-stilistico poiché Simone non si

limitò a tracciare il disegno sull'arriccio, come generalmente si usava, ma eseguì uno schizzo su di un primo intonaco, una bozza su di un secondo e infine, sul terzo, la definitiva e perfetta sinopia che bene lascia scorgere pentimenti e modifiche rispetto alle due prime "edizioni". Così la compiutezza delle ultime sinopie non lascia rimpiangere la perdita degli affreschi veri e propri, commessi a Simone dal cardinale Jacopo Stefaneschi che volle anche essere ritratto accanto alla Madonna. Oltre alla perfezione disegnativa che, come sempre nella poetica di Simone, affiora negli estremi, melodiosi svolgimenti, la nuova iconografia della *Madonna dell'umiltà* rivoluziona l'usuale immagine di Maria Vergine in trono: essa, infatti, è qui seduta in terra, come in umiltà d'intenti, adorata da due angeli dei quali, quello a destra, presenta il cardinale committente.

La sinopia definitiva con il *Cristo benedicente*, sul timpano del portale, ricorda altre simili immagini dipinte da Simone, quali quelle della Pinacoteca vaticana, del Museo di Capodimonte a Napoli e nella cuspide centrale della *Madonna* di Orvieto. Qui ad Avignone il tratto si fa ancor più raffinato e sicuro; la nobiltà dell'immagine evoca quella del *San Ludovico* di Napoli, nella ieratica impostazione frontale che dona una iconica sacralità forse mai così pienamente raggiunta dall'artista senese. Con le tre sinopie sovrapposte, rintracciate ad Avignone, ci troviamo certamente di fronte anche a eccezionali, per non dire unici, documenti che mettono a nudo tutta la gestazione dell'opera d'arte. La *Madonna dell'umiltà* nata in Avignone per mano del Martini godrà di grandissimo successo divulgandosi in tutta Europa, specie in terra fiamminga, nel Quattrocento e Cinquecento.

Ma ancora in Avignone, e con lo stesso Simone Martini, nasce l'arte del vero ritratto individuale: non tanto con quello del cardinale Stefaneschi, fiero e volitivo, ma che fa parte di un più ampio complesso, come abbiamo visto. Nasce con i ritratti, purtroppo ambedue perduti, l'uno del vecchio cardinale Orsini, che voleva presentarlo al papa, l'altro, notissimo, di madonna Laura commesso a Simone da Francesco Petrarca allora in quella città. L'incontro con il poeta, i colloqui che certamente devono essere avvenuti fra i due, aggiungono alla poetica di Simone un gusto aulico ed elegiaco, cioè più classicheggiante, latino, insomma, come era la lingua prediletta dal Petrarca che dedicò a Simone due suoi sonetti, il più noto dei quali è quello in cui il poeta ricorda la donna amata e il ritratto fattole da Simone Martini: «Ma certo il mio Simon fu in paradiso/onde questa gentil donna si diparté/ivi la vide e la ritrasse in carte/per far fede quaggiù del suo bel viso./L'opra fu ben di quelle che nel cielo/si ponno immaginar, non qui tra noi,/ove le membra fanno a l'alma velo./Cortesia fe', né lo potea far poi/che fu disceso a provar caldo e gielo/e del mortal sentiron gli occhi suoi». Probabilmente il ritratto di Laura era su pergamena, come scrive lo stesso Petrarca, una specie di miniatura per ricordare la donna amata.

Certamente una grande miniatura, ad acquerello e tempera diluita, è da considerare la cosiddetta *Allegoria virgiliana* che Simone dipinse sul frontespizio di un codice di proprietà dello stesso Petrarca, contenente le opere di Virgilio commentate da Servio, un retore del IV secolo. Il soggetto del foglio illustrato è talmente classico da ritenere indubbia l'ispirazione

Sacra Famiglia
(1342);
Liverpool,
Walker Art Gallery.

**L'immagine raffigura
Giuseppe
che, corrucciato,
riconduce Gesù
a Maria dopo
la disputa al tempio
con i dottori.**

data a Simone dallo stesso poeta: il commentatore Servio apre
un velario scoprendo così la figura di Virgilio; toglie, cioè, il velo alle difficoltà del testo latino virgiliano anche a persone meno preparate quali un condottiero, un contadino che pota e un
pastore che munge le pecore, tutte figure che in senso allegori-
co rimandano all'*Eneide* e ai personaggi delle *Georgiche* e delle
Bucoliche. Gli alberi sul fondo alludono probabilmente al bo-
schetto delle Muse e, comunque, sono tre come le opere di
Virgilio. Due esilissime mani alate sorreggono, al centro, due
cartigli inscritti: «Itala praeclaros tellus alis alma poetas/Sed ti-

bi Graecorum dedit attingere metas»; «Servius altiloqui retegens archana Maronis/ut pateant ducibus pastoribus atque colonis». Con l'*Allegoria virgiliana* si apre un ultimo capitolo della poetica di Simone Martini, poetica che va compenetrandosi nell'intesa intellettuale fra il committente Petrarca e l'esecutore Simone. Le idee protoumanistiche del poeta si animano figurativamente. Non manca neppure il lato di storia più spicciola, quasi una cronaca: il volume, infatti, fu smarrito, rubato in casa Petrarca nel 1326 e dal poeta ritrovato dodici anni dopo, nel 1338. Il furto fu ricordato dal Petrarca che di proprio pugno così scrisse all'interno della coperta: «Liber hic furto mihi subreptus fuerat anno Domini M CCC XXVI in kalendis Novembris ac deinde restitutus anno M CCC XXX VIII die XVII Aprilis apud Avinionem». Fu tanta la gioia per l'insperato ritrovamento che lo stesso Petrarca volle decorare il volume chiamando l'amico Simone e apponendo in calce alla miniatura due esametri latini: «Mantua Virgilium qui talia carmina finxit/Sena tulit Symonem digito qui talia pinxit», versi che sono anche una illustre autenticazione della miniatura celeberrima.

Pochi anni dopo, nel luglio del 1344, Simone Martini muore in Avignone. Nel 1347 la moglie Giovanna fa ritorno a Siena «induta de panno bruno ut vidua dicti magistri Simonis mariti sui».

La mala lingua di Giorgio Vasari tentò invano di stroncare la grandezza del pittore senese che lo scrittore aretino confina fra gli allievi di Giotto, dando merito alla sua fama solo per il fatto di aver conosciuto il Petrarca: «Fu dunque quella di Simone grandissima avventura vivere al tempo di messer Francesco Petrarca e abbattersi a trovare in Avignone alla corte questo amorosissimo poeta, desideroso di avere la immagine di madonna Laura di mano di maestro Simone; perciocché avutala bella come desiderato avea fece di lui memoria in due sonetti... e invero questi sonetti e l'averne fatto menzione in una delle sue lettere familiari, nel quinto libro che comincia "Non sum nescius" hanno dato più fama alla povera vita di maestro Simone che non hanno fatto né faranno mai tutte l'opere sue».

Tranne Lippo Memmi, i più grandi allievi e collaboratori di Simone Martini rimangono nell'anonimato: Barna da Siena, probabilmente Tederico Memmi, fratello di Lippo; il "Maestro della Madonna di palazzo Venezia"; il "Maestro della Madonna Strauss" (alcuni studiosi pensano a Donato Martini); il "Maestro del codice di san Giorgio"; infine il "Maestro degli angeli ribelli", così detto per una piccola tavola cuspidata, dipinta da ambo le facce con l'*Elemosina di san Martino* e con la *Caduta degli angeli ribelli*, recentemente passata al Museo del Louvre a Parigi e dal Polzer (1981) attribuita al senese Naddo Ceccarelli. Di bellissimo, quasi sconcertante effetto è la visione degli angeli ribelli, neri mostriciattoli risucchiati nell'abisso con al di sopra il celestiale scorcio degli scranni ormai vuoti e degli scranni ancora pieni di angeli buoni, vigilati, come per sospetto, da un gruppo di angeli armati, vere e proprie sentinelle di guardia. Una visione così straordinaria come idea e qualità di stile da far venire il dubbio che il pennello dello stesso Simone si sia ugualmente posato su tale aurata composizione che, come significativamente scrisse Giovanni Previtali (1988), è da annoverarsi fra «uno dei casi più incredibili di costruzione spaziale nella pittura di tutto il Trecento».

I "CHOMPAGNI"

LIPPO MEMMI

Figlio del pittore Memmo di Filippuccio menzionato a Siena nel 1294 ma trasferitosi come "pictor civicus" a San Gimignano intorno al 1303. Qui rimane almeno sino al 1317, anno in cui aiuta Lippo nella grande *Maestà* eseguita da quest'ultimo in affresco nella cosiddetta sala di Dante nel Palazzo civico sangimignanese. L'affresco è anche la prima opera sicura conosciuta di Lippo Memmi che riprende i motivi gotici della *Maestà* di Simone Martini nel Palazzo pubblico di Siena. Ben presto, infatti, staccatosi dagli arcaici giottismi del padre, Lippo si avvicina sempre più all'arte di Simone sino a divenire in quella bottega il principale suo "chompagno". Insieme al maestro firma il polittico con l'*Annunciazione*, già nel duomo di Siena e oggi nella Galleria degli Uffizi a Firenze. Numerose sono le tavole e gli affreschi firmati dal solo Lippo, opere tutte più o meno vicine allo stile di Simone, tanto da far pensare a una sempre più stretta collaborazione fra i due artisti. La firma dell'uno o dell'altro può dunque essere considerata come una specie di etichetta della bottega dove i due operavano fianco a fianco. Basti pensare alla *Madonna col Bambino* della chiesa di Santa Maria dei Servi a Siena, firmata dal solo Lippo Memmi, ma di tale altissima qualità da indurre a credere anche per quest'opera a una collaborazione con Simone che, nel 1324, andò sposo a Giovanna Memmi, sorella di Lippo.

Dai documenti sappiamo che Lippo Memmi aveva firmato, insieme al fratello Tederico, una tavola andata perduta.

Le tante opere attribuitegli e conservate in territorio pisano fanno ritenere per certa una sua attività in quella zona, forse sempre insieme a Tederico, come indicherebbero, fra l'altro, il polittico della chiesa di Casciana Alta o la grande tavola con il *Trionfo di san Tommaso*, nella chiesa di Santa Caterina a Pisa: un'opera, quest'ultima, assai discussa dalla critica contemporanea, anche attribuita a un ignoto "Maestro del Trionfo di san Tommaso" da riconoscere forse nel pisano Francesco Traini pur sotto la sorveglianza di Simone Martini e dello stesso Lippo Memmi. Questi segue anche il maestro in Avignone, ma alla sua morte, nel 1344, torna a Siena, dove muore nel 1356.

TEDERICO MEMMI

Figlio di Memmo di Filippuccio e quindi fratello di Lippo.

Nulla conosciamo sull'attività pittorica di Tederico se non che col fratello firma nel 1347 un polittico già in Provenza, a Carpentras. La più recente critica vuole scorgere in lui quell'artista che eseguì in affresco il ciclo con *Storie della vita di Cristo* nella Collegiata di San Gimignano, fra il 1333 e il 1341.

Seguendo il Ghiberti, il Vasari assegnò tale ciclo a un certo Barna (o Berna) da Siena, morto nel 1381 per una caduta dai ponteggi durante il completamento di tali pitture che, conclude il Vasari, furono terminate da un certo Giovanni d'Asciano.

A parte l'impossibile data del 1381, i riferimenti stilistici assai stretti fra le opere certe di Lippo Memmi e gli affreschi sangimignanesi, porterebbero a ritenere per certa una attribuzione a uno dei due figli di Memmo di Filippuccio, o quanto meno a un "chompagno" di Simone Martini.

Il potente afflato drammatico presente in quasi tutte le scene degli affreschi sangimignanesi, e mai riscontrabile nelle opere di Lippo, fa così meglio pensare alla mano del fratello Tederico.

All'autore degli affreschi neotestamentari di San Gimignano vengono attribuite altre opere, principalmente l'affresco detto *La Madonna del passeggio* nella chiesa di San Pietro a San Gimignano, la *Madonna col Bambino e donatore* del Museo di arte sacra ad Asciano presso Siena, il dittico con *Madonna col Bambino e Pietà* del Museo Horne a Firenze, una *Madonna con Bambino* del Museo di Portland, quattro scomparti di polittico già a Pisa e oggi nei musei di Palermo, Pisa e Altemburg.

IL MAESTRO DELLA MADONNA DI PALAZZO VENEZIA

La *Madonna col Bambino* già nel Museo di palazzo Venezia a Roma, e ora nella Galleria nazionale di palazzo Barberini, fu scissa dal "corpus" delle opere di Simone Martini e attribuita a un suo ignoto collaboratore il quale, proprio da tale dipinto prese il nome. Intorno a questo artista sono state riunite nel tempo numerose opere.

Tuttavia, gli studiosi mostrano perplessità riguardo a tale raggruppamento, tanto che alcuni di questi dipinti vengono assegnati anche a Donato Martini, cioè al cosiddetto "Maestro della Madonna Strauss", altri allo pseudo Barna da Siena, cioè forse a Tederico Memmi, altri ancora a un diverso artista "affine" al primo maestro. Le opere più note assegnate al "Maestro di palazzo Venezia" sono, oltre alla *Madonna* romana, i *Santi Pietro e Maddalena* della National Gallery di Londra (probabili pannelli laterali del dipinto di Roma), la *Madonna con santi e angeli* nella Fondazione Berenson a Settignano, altra negli Staatliche Museen di Berlino, lo *Sposalizio mistico di santa Caterina* nella Pinacoteca nazionale di Siena.

MAESTRO DELLA MADONNA STRAUSS

La critica contemporanea tende ad attribuire a Donato Martini, fratello di Simone, quelle opere che passavano sotto il nome di "Maestro della Madonna Strauss". Tuttavia, poco sappiamo della vita e dell'attività di Donato, se non che era "chompagno" di Simone, che fu al suo seguito in Avignone e che ritornò poi a Siena dove morì nel 1347. Era andato sposo a una tale Giovanna nel 1324, quindi la sua attività deve essere iniziata circa cinque o dieci anni prima, al tempo della *Maestà* del Palazzo pubblico e degli affreschi nella cappella di San Martino in San Francesco di Assisi. Dalle nozze di Donato nacquero tre femmine e tre maschi, nipoti prediletti di Simone che non aveva avuto figli da Giovanna Memmi.

La ricostruzione della personalità artistica di Donato è stata tentata dalla De Benedictis (1976 e 1979) che attribuisce all'artista un buon numero di opere «tra le più smaglianti e

raffinate uscite dalla bottega martiniana», talune delle quali con la collaborazione del fratello come, per esempio, il dittico con l'*Annunciazione*, diviso fra i musei di Washington e Leningrado. A Donato è anche attribuita la *Madonna col Bambino* del Museo civico di Grosseto, una *Madonna dell'umiltà* e un'*Annunciazione* dei Musei di Berlino, che fa dittico con una *Crocifissione-Deposizione* del Museo Ashmolean di Oxford, e inoltre un *Matrimonio mistico di santa Caterina* nel Museo di Boston. Ma con quest'ultima tavola viene a intrecciarsi la personalità dello pseudo Barna, forse Tederico Memmi, così che le opere attribuite a Donato vengono talvolta trasferite nel curriculum di Tederico, e viceversa.

MAESTRO DEGLI ANGELI RIBELLI

Nome convenzionale assegnato dal Laclotte (1969) a quel grande e ignoto artista che dipinse sulle due facciate di una medesima tavola, le scene con la *Caduta degli angeli ri-*

belli e l'*Elemosina di san Martino*. Un autore del tutto sconosciuto e che proprio per l'altissima qualità di questi due piccoli dipinti non può essere riconosciuto, come vorrebbe il Polzer (1981), nell'ultimo seguace diretto di Simone Martini, cioè il senese Naddo Ceccarelli.

L'autore di questi dipinti è l'unico che ha bene osservato ciò che si andava creando nell'ambito di Simone Martini, tanto che Giovanni Previtali (1988) ha ipotizzato un diretto intervento del Martini, almeno per quanto riguarda la scena con la *Caduta degli angeli ribelli*.

A questo artista è stato anche attribuito (De Castris, 1988) un *San Michele*, oggi al National Museum of Western Art di Tokyo, opera che nulla ha da invidiare alla tavoletta del Louvre, ma che rispecchia anche il volitivo stile di un Pietro Lorenzetti.

NADDO CECCARELLI

Possiamo considerare questo artista, di cui nulla sappiamo, come l'ultimo seguace diretto di Simone Martini e di Lippo Memmi. La sua personalità artistica è stata ricostruita attraverso l'unica opera firmata e datata al 1347: una *Madonna col Bambino*, già in collezione Cook a Richmond e passata all'asta Christie's nel 1966. In un suo saggio la De Benedictis (1979) ha tentato una ri-

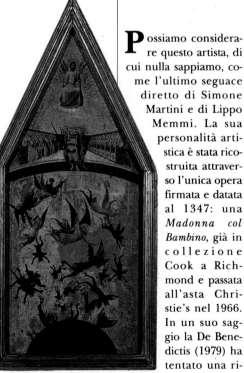

valutazione del percorso stilistico di Naddo, a cominciare dalla allettante ipotesi di un suo soggiorno giovanile in Avignone, al seguito di Simone Martini. Infatti, se è suo il mirabile dittico del Museo di Tours, Naddo Ceccarelli può annoverarsi fra gli eletti seguaci di Simone in Provenza.

Il "corpus" delle opere assegnate a Naddo dalla De Benedictis è stato più recentemente ridimensionato dalla Lonjon (1983), in modo convincente. Non è possibile, pertanto, come vorrebbe invece il Polzer (1981), attribuire a Naddo Ceccarelli quel capolavoro che è la *Caduta degli angeli ribelli* del Museo del Louvre, meglio assegnato ad altro assai più grande ignoto maestro.

Rientrato in patria, verso il 1345, dopo la morte di Simone Martini, Naddo non può ignorare artisti quali Bartolomeo Bulgarini (alias "Maestro d'Ovile") e Pietro e Ambrogio Lorenzetti, ancora attivi a Siena.

Il polittico a lui attribuito e conservato nella Pinacoteca nazionale senese – da considerarsi l'opera maggiore, in fatto di dimensioni, dell'artista – esemplifica il gusto del Ceccarelli intorno alla metà del secolo: qui si rivelano ancora preponderanti i ricordi di Simone Martini e di Lippo Memmi, sia nella chiarezza del colore, nell'eleganza un poco rigida e affettata del disegno che, tuttavia, si svolge chiudendo l'insieme in una serena, estatica compostezza.

La sua opera è comunque ancora da valutare in rapporto agli influssi martiniani che trasmise ad alcuni pittori della fine del Trecento, come Andrea Vanni e Paolo di Giovanni Fei.

Didascalie

QUADRO CRONOLOGICO

AVVENIMENTI STORICI E ARTISTICI		VITA DI SIMONE MARTINI
Giovanni Pisano assume la direzione dei lavori per la costruzione della parte inferiore della facciata del duomo di Siena. L'anno seguente, sui progetti del Pisano si inizia a costruire la facciata del duomo.	**1284**	Simone Martini nasce probabilmente in tale anno, ricavato in base a quello della sua morte, documentata al 1344. Lo stesso Vasari indica il supposto epitaffio sopra la tomba dell'artista: «Simoni Memmio (?) pictorum omnium omnis aetatis celeberrimo. Vixit ann. LX, mens. II, d. III». Il luogo di origine è tradizionalmente posto a Siena dove Simone sarebbe nato da un certo Martino abitante nel quartiere di Sant'Egidio. Altra ipotesi proposta dal Carli (1959) è che l'artista sarebbe invece originario di San Gimignano, dove un Maestro Martino, padre appunto di Simone, viene documentato nel 1274 come artigiano specializzato nel preparare l'arriccio sui muri da affrescare.
Data di esecuzione dell'affresco attribuito a Duccio di Buoninsegna (o a Memmo di Filippuccio) che raffigura una *Resa di un castello* eseguito nella fascia parietale sottostante l'affresco con il Guido Riccio da Fogliano.	**1314**	
	1315	Porta a termine la *Maestà* nella sala del Mappamondo del Palazzo pubblico di Siena. Nel *Libro de le memorie* dei Quattro Signori di Biccherna è registrato un prestito a «Simone dipentore».
	1317	Il 23 luglio si reca a Napoli, dove re Roberto d'Angiò lo nomina "miles", cioè cavaliere, con l'appannaggio di 50 once d'oro.
Il beato Bernardo Tolomei, senese, fonda la casa generalizia degli olivetani, nel monastero di Monteoliveto Maggiore, presso Siena.	**1319**	È citato negli *Annali* e nella *Cronaca antica* del convento di Santa Caterina a Pisa, in cui si ricorda che al tempo di frate Thomas "pratensis", venne collocata sull'altare maggiore «tabulam quae tunc pulcherrima censebatur necdum renata pictura manu Symonis senensis qui iter suae tempestatis pictores primas tenuit».
Pietro Lorenzetti esegue il polittico con *Madonna e santi* per il vescovo d'Arezzo Tarlati, destinato alla pieve di Santa Maria.	**1320**	Data frammentaria che si legge inscritta nella cornice della tavola centrale del polittico eseguito per i domenicani di Orvieto e oggi in quel Museo diocesano.
Anno della cosiddetta "migratio bononiensis": centinaia di docenti e di studenti, a causa di forti contrasti con le autorità bolognesi, si trasferiscono in massa presso lo "Studium urbis" di Siena.	**1321**	Il 30 dicembre viene pagata a Simone e ai suoi "gignori" la somma di 27 lire per «racconciatura la Maestà la quale è dipenta ne la sala del palazzo de' Nove». Il 31 dicembre gli sono anche pagati 20 fiorini per aver dipinto un *Crocifisso* sopra l'altare della cappella dei Signori Nove, sempre nel Palazzo pubblico senese.

AVVENIMENTI STORICI E ARTISTICI		VITA DI SIMONE MARTINI
	1322	Il 17 giugno riceve otto lire a saldo della somma dovutagli per un imprecisabile altro lavoro nel Palazzo pubblico.
	1323	Il 28 aprile è registrato nei libri della Biccherna un pagamento di 13 lire e 8 soldi per alcuni dipinti non precisabili nelle logge dello stesso Palazzo pubblico. Il 30 giugno viene pagato con 20 lire e 3 soldi per un *San Cristoforo* con lo stemma del podestà Mulazzo dei Mulazzi di Macerata, nella sala della Biccherna nel Palazzo pubblico di Siena.
Goro di Gregorio esegue per la cattedrale di Massa Marittima l'*Arca di san Cerbone*, scultura tipica dello stile senese.	**1324**	Fra il 2 gennaio e il 4 febbraio acquista una casa dal futuro suocero, il pittore Memmo di Filippuccio, al prezzo di 20 fiorini. Fra il 2 gennaio e l'8 febbraio dona a Giovanna, figlia di Memmo di Filippuccio, sorella del suo "chompagno" Lippo Memmi, la somma di 220 fiorini «propter nuptias».
Ha inizio la costruzione della torre del Mangia a fianco del Palazzo pubblico di Siena.	**1325**	
	1326	Fra il 28 febbraio e l'8 agosto dipinge una tavola dal soggetto imprecisato per il Palazzo del capitano del popolo. Il 24 maggio compare come testimone in un atto di affitto per terreni ubicati a Montecchio concessi per una metà dall'ospedale di Santa Maria della Scala e per l'altra dalla Casa della Misericordia.
	1327	Il 31 dicembre gli viene pagata la somma di 10 fiorini d'oro per aver dipinto due stendardi, donati dal Comune di Siena al duca e alla duchessa di Calabria, decorati con motivi araldici.
I senesi, sotto il comando di Guido Riccio da Fogliano, conquistano il castello di Montemassi in Maremma.	**1328**	
Pietro Lorenzetti firma a data la grande pala con la *Maestà* per la chiesa del Carmine di Siena, ora nella Pinacoteca nazionale.	**1329**	L'11 agosto gli vengono pagati venticinque soldi per la «dipentura due angioletti che stanno a l'altare de' Nove». Nell'ottobre viene compensato, unitamente a un certo Neri Mancini, «per essere stato XV dì a l'Ansedonia in servigio del Comune a ragione di 15 soldi per uno giorno». Il 26 ottobre viene ricordata, in un documento nell'Archivio di stato di Siena, la casa di Simone e del fratello Donato Martini posta in contrada Camporegio. Era la casa che Simone lascerà alla nipote Francesca.

AVVENIMENTI STORICI E ARTISTICI		VITA DI SIMONE MARTINI
Andrea Pisano inizia l'esecuzione dei rilievi bronzei della porta sud del battistero di Firenze.	**1330**	Il 20 febbraio viene pagato per aver dipinto, nella sala del Concistoro del Palazzo pubblico senese, una figura perduta del ribelle Marco Regoli. Il 2 maggio è registrato un pagamento per «la dipentura che fece di Montemassi e Sassoforte nel palazzo de' Nove». Il documento è riferibile all'affresco raffigurante Guido Riccio da Fogliano nel Palazzo pubblico di Siena.
	1331	Fra il 6 e il 7 settembre si reca «chon uno chavallo et uno fante», per incarico del Comune di Siena, nelle terre di Arcidosso, Casteldelpiano e Scasano. Tra il 30 ottobre e il 21 dicembre si registra nei libri della Biccherna una partita di prestiti e restituzioni fra il pittore e il Comune di Siena. Il 14 dicembre Simone dipinge, per la somma di otto fiorini d'oro, su incarico del Comune di Siena, nella sala del Mappamondo, in quel Palazzo pubblico, i perduti *Castelli di Arcidosso e Casteldelpiano*, visitati di recente.
Invasione del territorio senese da parte di Ciupo degli Scolari. Per le accuse rivoltegli, Guido Riccio abbandona Siena.	**1332**	Viene pagato con 3 fiorini d'oro per il piedistallo di una croce e «aliis rebus», eseguiti per ornamento dell'altare della cappella dei Nove in Palazzo pubblico.
	1333	Con Lippo Memmi, firma a data la pala con l'*Annunciazione*, eseguita per la cappella di Sant'Ansano nel duomo di Siena e oggi alla Galleria degli Uffizi a Firenze. Nello stesso anno è registrato, nei libri di entrata e di uscita dell'Archivio dell'Opera del duomo di Siena, un pagamento di 9 lire e 14 soldi a Simone e a Lippo con una motivazione non bene identificata. Un secondo pagamento di 70 fiorini d'oro è fatto a maestro Lippo «per l'adornamento de le cholone, civori e ciercini de la tavola di Santo Sano» ed è certamente riferibile al pagamento della tavola con l'*Annunciazione*.
I Lorenzetti terminano gli affreschi con *Storie della vita della Vergine* sulla facciata dell'ospedale di Santa Maria della Scala a Siena, andati totalmente perduti.	**1335**	
	1336	È in Avignone con la moglie Giovanna e il fratello Donato, come pittore ufficiale di papa Benedetto XII. Il sonetto di Francesco Petrarca, del 4 novembre 1336, con cui il poeta plaude al ritratto di Madonna Laura eseguito dal pittore, è testimonianza che in tale anno Simone è già in Avignone.

AVVENIMENTI STORICI E ARTISTICI		VITA DI SIMONE MARTINI
	1340	Il 27 maggio viene acquistata, con atto notarile, una casa in Castelvecchio di Siena da parte di un «maestro Simone Martini». Il 24 ottobre «Magister Simon Martini populi Sancti Quirici» paga la gabella per il compromesso di una fornitura di diecimila mattoni per una casa. Tuttavia non è comprovato che tali documenti si riferiscano a Simone pittore che doveva già trovarsi in Francia. L'8 febbraio, insieme al fratello Donato, viene nominato procuratore presso la curia papale in Avignone, dal rettore della chiesa di Sant'Angelo a Montone di Siena (certo ser Andrea di Marcovaldo) in una questione giudiziaria da discutersi direttamente presso la curia pontificia di Avignone.
Ambrogio Lorenzetti decide l'impostazione prospettica della *Presentazione al tempio*.	**1342**	Firma a data la *Sacra Famiglia* oggi alla Walker Art Gallery di Liverpool.
Una grande crisi economica provoca il tracollo delle maggiori banche fiorentine, quelle degli Acciaiuoli, dei Bardi, dei Peruzzi. La causa di tale tracollo è da riferire nel mancato pagamento da parte del re d'Inghilterra di un debito contratto con le banche fiorentine.	**1344**	5 maggio: gli vengono restituiti 20 fiorini da lui pagati per alcuni privilegi pontifici a favore dell'ospedale di Santa Maria della Scala di Siena. Il 28 giugno – nello stesso "Libro de' Conti" dell'ospedale suddetto – è annotato che deve restituire un fiorino a detto ospedale per pareggiare un precedente errore di conteggio. Il 30 giugno il notaio fiorentino ser Geppo di Bonaiuto Galgani ricorda le disposizioni testamentarie di Simone e quelle tasse di successione pagate dagli eredi il 3 e l'11 agosto: alla moglie Giovanna il pittore lasciava il mobilio e l'usufrutto della casa; alla nipote Francesca una vigna a Vico e l'usufrutto della propria parte della casa di Camporegio; all'altra sua nipote la somma di 10 fiorini; il resto ai figli di suo fratello Donato. Probabilmente nel mese di luglio muore in Avignone. Il 9 luglio, nel "Libro de' Conti" dell'ospedale di Santa Maria della Scala, si registra che Simone risulta debitore dell'ospedale di 2 fiorini d'oro. Il 4 agosto, nella chiesa di San Domenico a Siena, vengono celebrate le esequie funebri. Il 7 agosto, nel Libro delle entrate e delle uscite dell'ospedale di Santa Maria della Scala, sono annotate le spese per la veglia funebre.
	1347	La vedova fa ritorno a Siena «induta de panno bruno ut vidua dicti magistri Simonis mariti sui».
La "peste nera" devasta Siena.	**1348**	

BIBLIOGRAFIA

Fonti: L. Ghiberti, *Commentari*, (1450) Berlino 1886; G. Vasari, *Le vite* (1550 e 1568); G. Della Valle, *Lettere Sanesi sopra le Belle Arti*, Roma 1785.

Studi: E. Förster, *Beiträge zur italienischen Kunstgeschichte*, Lipsia 1835; E. Romagnoli, *Biografia cronologica de' Bellartisti Senesi* (1835), Firenze 1976; G. Milanesi, *Documenti per la storia dell'arte senese*, Siena 1854; C. Brandi, *Die Stilenwichlung des Simone Martini*, 1934; E. Carli, *Difesa di un capolavoro*, in "Domus", 1939; P. Bacci, *Fonti e Commenti per la storia dell'arte senese*, Siena 1944; G. Paccagnini, *Simone Martini*, Milano 1955; C. Gnudi, *Grandezza di Simone*, in *Scritti di Storia dell'Arte in onore di Lionello Venturi*, Roma 1956; E. Carli, *Simone Martini*, Milano 1956; C. Volpe, *Precisazioni sul Barna e sul Maestro di Palazzo Venezia*, in "Arte Antica e Moderna", 1960; E. Castelnuovo, *Un pittore alla corte d'Avignone: Matteo Giovannetti*, Torino 1962; G. Previtali, *Il possibile Memmo di Filippuccio*, in "Paragone", 1962; E. Carli, *Ancora dei Memmi a San Gimignano*, in "Paragone", 1963; F. Enaud, *Les fresques de Simone Martini à Avignon*, in *Les monuments historiques de la France*, 1963; G. Rowland, *The date of Simone Martini's arrival in Avignone*, in "The Burlington Magazine", 1965; F. Bologna, *Simone Martini*, Milano 1966; F. Bologna, *Gli affreschi di Simone Martini in Assisi*, Milano 1966; C. Volpe, *Simone e la pittura senese da Duccio ai Lorenzetti*, Milano 1966; C. De Benedictis, *Sull'attività orvietana di Simone Martini e del suo seguito*, in "Antichità Viva", 1968; V. Mariani, *Simone Martini e il suo tempo*, Napoli 1968; F. Bologna, *I pittori alla corte angioina di Napoli*, Roma 1969; G. Francastel, *Simone Martini interprète de la politique française*, in "L'Arte", 1969; M. Laclotte, *Le «Maître des Anges Rebelles»*, in "Paragone", 1969; M. G. Gozzoli, *L'opera completa di Simone Martini*, Milano 1970; H. W. Van Os e M. Rankleff-Reinders, *De reconstructie van Simone Martini Zgn. Polyptiek van de Passie*, in *Festschriff H. K. Gerson*, Bussum 1972; U. Feldges-Henning, *Zu Thema und datierung von Simone Martini fresk Guido Riccio da Fogliano*, in "Mitteilungen des kunsthistorisches Institut Florenz", 1973; C. De Benedictis, *Il polittico della Passione di Simone Martini e una proposta per Donato*, in "Antichità Viva", 1976; A. Caleca, *Tre polittici di Lippo Memmi, un'ipotesi sul Barna e la bottega di Simone e di Lippo*, in "Critica d'Arte", 1976 e 1977; C. De Benedictis, *La pittura senese 1330-1370*, Firenze 1979; J. Polzer, *The «Master of the Rebel Angels' reconsidered»*, in "The Art Bulletin", 1981; AA. VV., *Il Gotico a Siena*, Firenze 1982; M. Seidel - L. Bellosi, *Castrum pingatur in palatio*, in "Prospettiva", 1982; E. Carli, *La pittura senese del Trecento*, Milano 1983; M. Lonjon, *Naddo Ceccarelli*, in *L'Art Gotique Siennois*, Firenze 1983; G. Ragionieri, *Simone e non Simone*, Firenze 1985; AA. VV., *Simone Martini*, Firenze 1988 [Saggi di: E. Castelnuovo, *Prefazione*; L. Bellosi, *Il pittore oltremontano di Assisi, il Gotico a Siena e la formazione di Simone Martini*; I. Hueck, *Simone attorno al 1320*; A. Garzelli, *Peculiarità di Simone ad Assisi: gli affreschi della Cappella di San Martino*; J. Brink, *A Sienese conceit in a painting by Simone Martini at Assisi*; M. Seidel, *Condizionamento iconografico e scelta semantica: Simone Martini e la tavola del Beato Agostino Novello*; H. Van Os, *Due divagazioni intorno alla Pala di Simone Martini per il Beato Agostino Novello*; P. Torriti, *La parete del Guidoriccio*; G. Gavazzi, *Esperienze sul restauro del Guidoriccio*; L. Tintori, *Notizie ed informazioni sulla tecnica e la conservazione della Maestà di Simone Martini*; E. Carter Southard, *Reflections on the document work by Simone Martini in the Palazzo Pubblico*; A. Bagnoli, *I tempi della Maestà: il restauro e le nuove evidenze*; A. Conti, *Oro e tempera: aspetti della tecnica di Simone Martini*; B. S. Tosatti, *Le tecniche pittoriche di Simone nell'Allegoria virgiliana*; M. S. Frinta, *Stamped halos in the Maestà of Simone Martini*; N. E. Müller, *The development of sgraffito in Sienese Painting*; G. Previtali, *Introduzione ai problemi della bottega di Simone Martini*; J. Polzer, *«Symon Martini et Lippus Memmi me pinxerunt»*; G. Chelazzi Dini, *I riflessi di Simone Martini sulla pittura pisana*; A. Caleca, *Quel che resta del cosiddetto Barna*; C. De Benedictis, *Simone Martini a San Gimignano e una postilla per il possibile Donato*; A. Middeldorf Kosegarten, *Simone Martini e la scultura senese contemporanea*; G. Kreytenberg, *Tino di Camaino e Simone Martini*; F. Enaud, *Les fresques de Simone Martini à Avignon et leurs restaurations*; P. L. De Castris, *Problemi martiniani avignonesi: il Maestro degli Angeli Ribelli, i due Ceccarelli ed altro*; A. Martindale, *Innovazioni in Simone Martini: i problemi di interpretazione*; F. Bologna, *Conclusione e proposte*]; A. Martindale, *Simone Martini*, Oxford 1988; P. L. De Castris, *Simone Martini*, Firenze 1989; P. Torriti, *La Pinacoteca Nazionale di Siena*, Genova 1990.

Miracolo del cavaliere caduto in un burrone, tavola del *Beato Agostino Novello* (1328), particolare.

REFERENZE FOTOGRAFICHE

Copertina: cortesia autore
Cortesia autore: 3, 4, 5, 7, 9, 10b, 13, 21, 26, 27, 29, 30, 31, 33, 34, 35, 45, 46, 47, 50
D.R.: 2, 6, 8, 12, 14, 15, 16, 17, 18, 19, 20, 22, 23, 24, 25, 28, 32, 36, 37, 38, 39, 40, 41, 43
Scala: 10a

Art e Dossier
Inserto redazionale
allegato al n. 56,
aprile 1991

Direttore responsabile
Valerio Eletti

Pubblicazione periodica
Reg. Cancell. Trib. Firenze
n. 3384 del 22.11.1985

© Giunti Gruppo
Editoriale SpA
Firenze

Printed in Italy
Stampa presso
A. Mondadori Editore SpA
Via Bianca di Savoia 12
Milano
Stabilimento di Pomezia
Via Costarica 11-13
Pomezia (Roma)
tel. 06/9122901

Iva assolta dall'editore
a norma dell'art.
74/D.P.R. 633 del 26.10.72

ISBN 88-09-76152-9